차근차근 배우는 우리 아이 일상 말하기

스크립트 중재 기반

지은이 홍경훈 · 윤미선 · 이수향 · 유지원 · 김하은 · 김하영

KB185984

군자출판사

차근차근 배우는
우리 아이 일상 말하기 스크립트 중재 기반

첫째판 1쇄 인쇄 | 2023년 2월 6일
첫째판 1쇄 발행 | 2023년 2월 16일
첫째판 2쇄 발행 | 2024년 8월 30일

지 은 이   홍경훈, 윤미선, 이수향, 유지원, 김하은, 김하영
발 행 인   장주연
출 판 기 획   이성재
표지디자인   김재욱
편집디자인   주은미
일 러 스 트   신윤지
제 작 담 당   황인우
발 행 처   군자출판사(주)
           등록 제 4-139호(1991. 6. 24)
           본사 (10881) 파주출판단지 경기도 파주시 서패동 474-1(회동길 338)
           Tel. (031) 943-1888   Fax. (031) 955-9545
           홈페이지 | www.koonja.co.kr

ISBN 979-11-5955-951-8
정 가   30,000원

| 저자 소개 |

홍경훈

이화여자대학교 언어병리학 박사
나사렛대학교 언어치료학과 교수

윤미선

이화여자대학교 언어병리학 박사
나사렛대학교 언어치료학과 교수

이수향

충남대학교 언어병리학 박사
나사렛대학교 언어치료학과 교수

유지원

위스콘신대학교 언어병리학 박사
위스콘신언어인지학습연구소 소장

김하은

나사렛대학교 언어치료학 석사
나사렛대학교 CAA센터 언어재활사

김하영

나사렛대학교 언어치료학 석사
아이원언어발달센터 언어재활사

Contents

Ⅰ 가정생활

Ⅱ 교육사회 생활

Ⅲ 여가문화 및 지역사회 생활

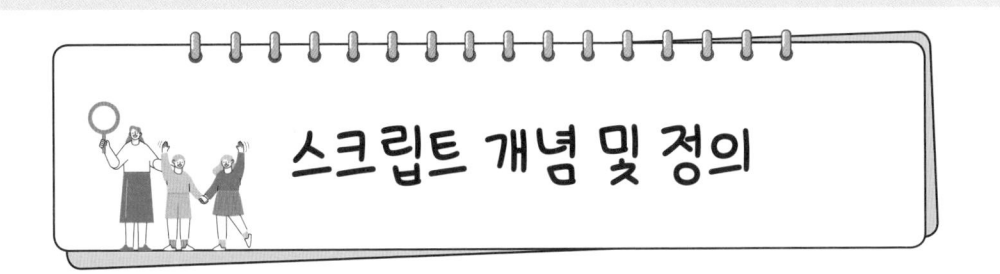

1. 스크립트 정의

우리는 매일 세수를 한다. 먼저 얼굴에 물을 묻힌 후 비누를 칠하고 물로 얼굴을 헹군다. 그리고 수건으로 얼굴에 묻은 물기를 닦는다. 개인마다 다른 부분도 있겠지만 일반적으로 우리는 세수할 때 위와 같은 단계를 떠올리게 된다.

스크립트란 이와 같이 일상에서 반복된 경험을 통해 만들어진 사건(event)에 대한 지식 구조이다. Schank & Abelson(1977)은 스크립트를 반복된 경험을 통해 특정한 상황이나 맥락 속에서 순서적으로 진행되는 일련의 사건에 대한 지식 구조, 정신적 표상으로 정의하였다. 이러한 정의에서 알 수 있는 것은 우선 스크립트는 친숙하고 일상화된 사건이나 경험 속에서 생긴다는 것이다. 어떤 스크립트는 매일 반복되는 것이고, 어떤 것은 매일은 아니더라도 특정한 상황 속에서 반복되는 것으로 스크립트는 사람들에게 친숙한 경험이다. 스크립트에 대한 Schank와 Ableson(1977)의 정의에서 또 하나 중요한 점은 순서적으로 진행된다는 것이다. 반복되는 경험이 매번 다르게 진행되는 것이 아니라 일정하게 순서대로 진행되기 때문에 사람들은 스크립트에 대해 비슷한 내용이 비슷한 순서로 전개될 것이라고 기대하게 된다. 이러한 점 때문에 스크립트에 참여하고 있는 사람들은 사건이 어떻게 진행될지 예측할 수 있다.

스크립트의 구조는 전체성, 결속성, 연속성, 인과성을 가진다. 앞에서 설명한 세수하기의 경우 각 하위행동들(비누칠하기, 헹구기 등)은 서로 순서적으로 연결되어 있고, 인과관계가 있으며 그래서 상호 연결된 전체(세수하기)를 만든다. 또한 스크립트 안에는 행위자, 행동, 소품들과 같은 구성요소가 있다. 많이 인용되는 음식점 스크립트의 경우 음식을 먹는 사람, 종업원과 같은 행위자가 있고, 주문하기, 먹기, 가져다주기 등과 같이 행위자들이 하는 행동이 있고, 메뉴판이나 테이블과 같은 소품이 있다. 따라서 스크립트를 많이 알고 있으면 다양한 상황에 대한 이해가 쉬워진다.

선행연구들에서 설명하고 있는 스크립트의 특성들을 정리해 보면 다음과 같다(양윤선, 2000; 김경양, 2002, 김영태, 2014).

첫째, 스크립트는 일상에서 여러 번 반복되는 사건이다.
둘째, 스크립트는 시간적 혹은 인과적으로 조직화되어 있다.
셋째, 스크립트의 하위행동들은 위계가 있다.
넷째, 각 하위행동들은 서로 연결되어 있으며 목적(사건 전체)을 위해 구조화되어 있다.
다섯째, 동일한 스크립트라면 비슷한 순서를 가진다.
여섯째, 스크립트 내에서 다음 단계가 예측가능하다.

스크립트의 이러한 특성들은 아동이 상황 속에서 언어를 습득하는데 인지적인 부담을 덜어주어 언어발달을 돕는다.

2. 스크립트 관련 선행연구 결과

스크립트는 성인의 정보처리 과정을 연구하기 위한 컴퓨터 모델에서 시작되었다. 이후 많은 연구자들이 스크립트 이론을 아동에게 적용하였고, 아동들의 스크립트 습득과 발달에 대한 연구들이 활발히 진행되었다. 매우 어린 아동일지라도 사건에 대한 경험을 바탕으로 잘 조직화된 스크립트를 활용하면 언어 발달이 촉진되며(Nelson & Grundel, 1986), 또한 어머니와의 상호작용에서 아동들은 친숙한 사건 문맥에서 그렇지 않은 경우보다 어휘, 동사사용, MLU 등이 증가하는 것으로 알려져 있다(Farral et al, 1993).

다양한 장애군에서도 스크립트를 활용한 중재는 다양한 언어적인 목표를 가지고 실시되어 왔다. ASD 대상자들에 대한 대화 기술 중재 방법을 리뷰한 연구들에 따르면 스크립트는 대화 주고받기를 촉진하는 데 자주 사용되는 중재 방법이다(Sng, C. Y., Carter, M., & Stephenson, J., 2014). 국내 연구 중, 소꿉놀이, 인형놀이를 이용한 스크립트 활동은 자폐 유아들의 의사소통 기능 습득을 향상시켰으며(이지숙, 2003), 시

각 단서를 이용한 사회적 스크립트는 자폐 유아와 또래의 상호작용과 의사소통 기술을 증가시켰다(유연주, 김영태, 1998).

스크립트 활동은 중도중복 장애 아동을 대상으로 한 연구들에도 많이 사용되고 있다. 김경양, 박은혜(2001)는 가게놀이, 생일파티, 간식만들기 활동에서 AAC를 사용하여 요구하기, 대답하기, 거부하기 등을 표현하도록 중재하였는데 연구결과 연구에 참여한 아동들이 목표 의사소통기능을 습득, 유지 일반화하였다고 보고하였다. 또 다른 연구에서는 중도 중복장애를 가진 아동이 흥미를 가지고 있는 놀이 스크립트(예, 컵 쌓기) 활동에서 몸짓언어를 사용하여 사물요구하기와 행동요구하기를 중재하였는데 그러한 의사소통의 빈도가 증가하였다고 한다(양은애, 김희규, 2019). 양윤선(2000)은 4-6세 한낱말 수준의 언어장애 아동을 대상으로 스크립트 활동을 사용하여 두낱말 의미관계 산출을 중재한 결과 다른 상황으로 전이 효과가 나타났다고 보고하였다.

이처럼 스크립트 중재는 다양한 언어적 목표를 가지고 다양한 장애를 가진 아동들의 중재에 활용되어 효과가 입증되고 있다.

3. 일반적인 스크립트 구성 및 중재 절차

중재 활동으로 스크립트를 구성할 때는 스크립트의 정의와 특성에 따라 다음과 같은 절차와 요소들을 고려해야 한다.

(1) 아동의 일상을 파악한다.
  매일 아동이 반복하는 활동이 무엇인지 보호자나 교사와의 면담을 통해 파악한다.

(2) 아동에게 익숙한 상황을 선정한다.
  반복되는 활동 중에 아동에게 친숙하고 익숙한 상황을 선정한다. 친숙하고 익숙한 상황은 문맥 속에서 사회적 상호작용의 도움이 있기 때문에 더 쉽게 습득할 수 있다.

(3) 각 상황 사건의 하위단계를 나눈다.
  스크립트의 구성요소인 사건 구성 요소, 행위자, 행위, 소품들을 고려하여 하위단계를 나눈다.

(4) 아동의 수준을 고려하여 중재에 포함할 하위단계의 수를 설정한다. 이때 아동의 연령을 고려하여 너무 많거나 너무 적은 단계가 되지 않도록 주의한다.

(5) 아동의 언어 중재목표와 수준을 고려하여 각 하위단계에 단계별 목표언어형태를 결정한다.

(6) 중재 초기에는 가능한 하위단계, 단계별 목표언어형태, 유도 문맥들에 변형을 주지 말고 진행한다. 아동이 해당 스크립트에 익숙해 질 수 있도록 매번 동일하게 진행하는 것이 좋다.

(7) 초기 반복 수행 후, 아동이 일정 수준에 도달하면 아동의 자발적 목표언어 산출을 유도할 수 있는 문맥(상황, 발화)을 계획한다. 목표언어형태를 유도하기 위한 문맥은 실제 중재 시 아동이 각 단계에서 보이는 반응에 따라 유도 절차와 문맥을 수정한다.

(8) 초기에 설정한 하위단계별 언어목표를 아동이 일정 수준에 도달하였다면 새로운 하위단계를 추가하거나 새로운 언어 목표를 추가할 수 있다.
  스크립트 중재는 여러 번 반복하여 실시하는 것이 좋다. 스크립트 중재 시에는 2-3개의 스크립트를 선정하여 중재를 진행하며, 초기에는 하나의 스크립트에 대해 아동이 익숙해 질 수 있도록 반복하여 진행한다. 이후 각 스크립트를 주기적으로 교차하여 진행할 수 있다.

4. 스크립트 선정 시 고려할 사항들

스크립트 상황을 선정할 때는 다음과 같은 다양한 요인들을 고려하여 우선순위를 고려하는 것이 바람직하다. 물론 모든 요인들은 개별적이 아닌 통합적으로 고려되어야 한다.

(1) 주요 일과: 아동의 일상에서 중요하고, 반복되는 상호작용적 일과
(2) 생활 연령: 아동의 생활연령을 고려할 때 주요한 사건이나 상황
(3) 언어 수준: 아동의 언어수준에 적절한 어휘나 발화 형태가 주로 사용되는 상황
(4) 친숙성: 아동에게 친숙하여 비언어적인 스크립트 절차에 대해 잘 알고 있는 상황
(5) 선호도: 아동이 좋아하는 활동
(6) 가족이나 대상자의 주 호소

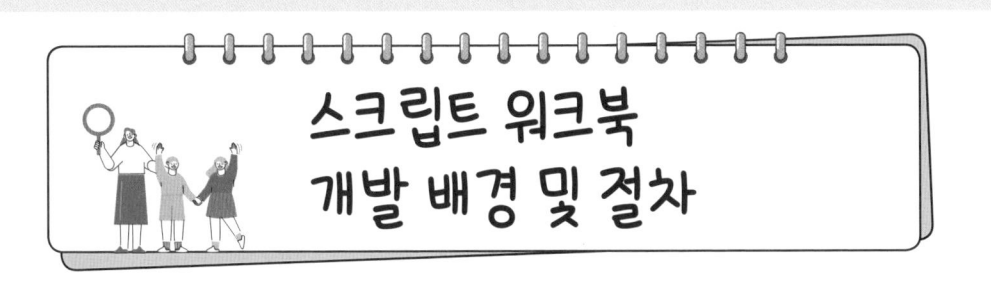

1. 상황 선정

본 스크립트 북에 선정된 상황은 3~6세 아동의 어휘 및 상황에 관련된 문헌연구, 유치원 교육과정 검토, 관련 연구 결과, 어린이집 교사 자문 및 언어치료 박사학위를 가진 전문가들의 연구 및 임상 경험을 바탕으로 선정하였다. 선정 과정은 문헌연구, 설문조사, 설문 연구 결과 분석, 현장 전문가 자문 및 전문가 의견 수렴 그리고 최종 상황 선정의 절차로 이루어졌다.

연령별 상황 선정을 위한 관련 설문 연구는 3~6세 아동의 가정, 지역사회, 학교 등의 주요 일상적 환경에 따라 양육자와 언어재활사가 인식하는 주요 의사소통 상황을 객관적으로 조사하였다. 이 설문연구에서 언어재활사와 양육자를 대상으로 아동의 일상생활에서 우선적으로 중요한 상황을 조사하였다(3~6세 연령대별 언어장애아동의 언어중재 스크립트 상황에 대한 양육자와 언어재활사의 우선순위 분석, 유지원, 윤미선, 최성준, 홍경훈, 2018). 그 결과, 상위범주에 대한 양육자 집단의 우선순위는 '교육사회생활'(40.8%), '가정생활'(36.7%), '여가문화생활'(22.6%)의 순서로 나타났으며, 언어재활사는 '가정생활'(42.6%), '교육사회생활'(38.8%), '여가문화생활'(18.6%)의 순서를 나타냈다. 양육자와 언어재활사의 전체 및 아동 연령별 상위 상황 우선순위 인식 결과 그리고 양육자와 언어재활사의 상위 상황별 하위 상황 우선순위 중요도는 아래 표에 제시하였다.

표1. 양육자와 언어재활사의 상위상황에 대한 아동 전체 및 연령별 우선순위

양육자	우선순위(가중치)	상위 상황	우선순위(가중치)	언어재활사
	1 (0.408)	교육사회생활	2 (0.388)	
	2 (0.367)	가정생활	1 (0.426)	
	3 (0.226)	여가문화생활	3 (0.186)	

상위 상황	순위 및 가중치			
	3세 양육자	4세 양육자	5세 양육자	6세 양육자
가정생활	1 (0.401)	2 (0.366)	2 (0.281)	1 (0.415)
교육사회생활	2 (0.385)	1 (0.426)	1 (0.455)	2 (0.368)
여가문화생활	3 (0.214)	3 (0.209)	3 (0.264)	3 (0.216)

표2. 양육자와 언어재활사의 전체 하위상황에 대한 우선순위

양육자	우선순위(가중치)	하위 상황	우선순위(가중치)	언어재활사
	1 (0.113)	친구와 놀기	3 (0.118)	
	2 (0.102)	식사	1 (0.129)	
	3 (0.096)	배변	2 (0.123)	
	4 (0.081)	씻기	4 (0.095)	
	5 (0.075)	교육기관 학습활동	9 (0.043)	
	6 (0.068)	취침	5 (0.093)	
	7 (0.065)	병원	6 (0.059)	
	8 (0.063)	놀이터	7 (0.0656)	
	9 (0.057)	교육기관 등하원	11 (0.041)	
	10 (0.045)	교육기관 간식시간	13 (0.039)	
	11 (0.045)	교육기간 생일파티	12 (0.040)	
	12 (0.039)	청소	8 (0.053)	
	13 (0.039)	마트	10 (0.041)	
	14 (0.037)	외식	14 (0.027)	
	15 (0.031)	놀이공원 동물원	15 (0.016)	
	16 (0.024)	미용실	16 (0.016)	
	17 (0.020)	영화관여가문화생활	17 (0.012)	

개발자들은 이 연구결과와 그 외 절차를 통하여 가정, 교육사회, 여가문화/지역사회로 최종 3개의 상위범주를 구성하고, 상위범주별로 3~6세의 연령 적절성과 중요도를 고려하여 상위범주별 하위상황들을 선정하였다. 연령별 분류는 3~4세와 5~6세 집단으로 분류하였다. 최종 선정된 스크립트 수는 총 50개이다. 연령집단별 상황 분류는 아래 표와 같다.

표3. 연령 집단별 상황 분류표

연령＼상황	가정생활	교육사회 생활	여가문화 및 지역사회 생활
3~4세 (24)	• 식사하기 • 우유 마시기 • 씨리얼 먹기 • 이 닦기 • 머리 감기 • 옷 입기(겨울) • 똥 누기	• 버스로 등원하기(출발) • 자동차로 등원하기(도착) • 소풍 후 등원하기 • 소풍 준비하기 • 어린이집 낮잠 자기 • 어린이집 간식 먹기 • 어린이집 책 읽기 • 색종이 오려 붙이기 • 물감 찍기 • 모래놀이하기 • 생일파티	• 주사 맞기 • 공중화장실 이용하기 • 엘리베이터 이용하기 • 빵 사기 • 아이스크림 사 먹기 • 크리스마스트리 꾸미기
5~6세 (26)	• 약 먹기 • 목욕하기 • 방 청소하기 • 피자배달 주문하기 • 설거지하기 • 전자레인지 이용하기 • 세탁기 이용하기	• 유치원 간식 먹기 • 소풍도시락 먹기 • 샌드위치 만들기 • 물감 색칠하기 • 점토 만들기 • 실로폰 연주하기 • 친구와 부엌놀이하기 • 친구들과 미끄럼틀 타기 • 씨앗 심기	• 햄버거 사 먹기 • 자동판매기 이용하기 • 식당 정수기 사용하기 • 버스 타기 • 자전거 타기 • 놀이터 그네 타기 • 횡단보도 건너기 • 도서관 이용하기 • 레스토랑 이용하기 • 수영장 이용하기

2. 스크립트 구성

모든 스크립트는 각 상황의 하위단계를 9단계로 구성하였다. 상황별로 스크립트 단계를 9단계로 나눈 후 단계별로 목표언어형태를 설정하였다. 목표언어형태는 한 단어, 두 단어 조합, 조사를 포함한 다단어 조합 문장 그리고 대화 형식의 4단계 수준으로 나누어 제시하였다.

9단계 절차는 언어치료 전문가인 개발자들이 생각하는 일반적인 상황별 주요 단계, 유치원 교육과정상 제시된 주요 절차, 어린이집/유치원 교사 및 언어재활사 자문, 온라인 검색 등을 통하여 가능한 3~6세 아동들이 습득해야 할 필수 절차들이 포함되도록 하였다. 스크립트 구성의 예는 아래와 같다.

표4. 스트립트 구성의 예

스트립트 절차	언어 수준 단계			
	1. 한단어	2. 두단어	3. 다단어 문장	4. 대화
시작 알리기	이를 닦자			
① 칫솔 꺼내기	칫솔	칫솔 꺼내	통에서 칫솔을 꺼내요	(엄마) 이를 닦자. 통에서 무엇을 꺼낼까? (아이) 통에서 칫솔을 꺼내요
② 치약 꺼내기	치약	치약 꺼내	통에서 치약을 꺼내요	(엄마) 칫솔을 통에서 꺼냈어. 이제 뭐를 꺼낼까? (아이) 통에서 치약을 꺼내요
③ 뚜껑 열기	뚜껑	뚜껑 열어	치약 뚜껑을 열어요	(엄마) 치약을 통에서 꺼냈어. 다음에 어떻게 할까? (아이) 치약 뚜껑을 열어요.
④ 치약 짜기	짜	치약 짜	칫솔에 치약을 짜요	(엄마) 치약 뚜껑을 열었어. 다음에 어떻게 할까? (아이) 칫솔에 치약을 짜요
⑤ 뚜껑 닫기	닫아	뚜껑 닫아	치약 뚜껑을 닫아요	(엄마) 칫솔에 치약을 짰어. 다음에 뭐를 할까? (아이) 치약 뚜껑을 닫아요.
⑥ 칫솔질하기	닦아	이 닦아	칫솔로 이를 닦아요	(엄마) 치약 뚜껑을 닫았어. 다음에 뭐를 할까? (아이) 칫솔로 이를 닦아요.
⑦ 물 받기	물	물 받아	컵에 물을 받아요	(엄마) 칫솔로 이를 닦았어. 다음에 뭐를 할까? (아이) 컵에 물을 받아요.
⑧ 헹구기	헹궈	입 헹궈	물로 입을 헹궈요	(엄마) 컵에 물을 받았어. 다음에 뭐를 할까? (아이) 물로 입을 헹궈요.
⑨ 물 뱉기	뱉어	물 뱉어	세면대에 물을 뱉어요.	(엄마) 물로 입을 헹궜어. 이제 어떻게 할까? (아이) 세면대에 물을 뱉어요.

3. 목표언어형태별 선정 원칙

상황별 목표언어형태에 포함된 목표단어는 단어를 그림으로 표현하거나 그림을 보고 정확한 산출 유도가 어려운 형부사는 가능한 제외하고, 명사나 동사 및 두 품사의 조합 형태로 구성하였다. 각 언어수준별 구성 원칙은 아래와 같다.

(1) 한 단어: 스크립트별로 각 단계를 가장 잘 표현하거나 일상생활에서 해당 단계에서 주로 사용되는 어휘(명사나 동사) 중에서 연령을 고려하여 선정함

(2) **두 단어**: 한 단어 목표언어형태와 연계성을 고려하여, 한 단어 목표언어형태에 명사나 동사를 추가한 형태로 구성

(3) **다단어 문장**: 두단어 수준의 목표언어형태에 내용어 하나와 조사를 추가하고, 종결어미 뒤에 종결보조사 '요'를 결합한 예사높임말 형태로 구성. 문장의 어순은 문장의 일반적 발달 형태를 고려하여, 가능한 두 단어 형태의 기존 형태를 유지하면서 외부에 새로운 단어를 추가하는 발화 형태(예, '치약 짜' ➡ '칫솔에 치약을 짜')로 구성

(4) **대화**: 언어수준에 상관없이, 질문의 형태로 제시된 유도문장을 듣고 언어수준별 목표언어형태를 발화하면 적절한 대화형태가 될 수 있도록 유도발화를 제시. 이 때 유도질문은 이전 단계의 다단어 문장을 반복한 후, 가능한 중립적인 질문(예, 다음에 뭐를 할까?)의 형태로 구성. 단, 흐름상 중립적 질문으로 목표언어형태의 유도가 어려운 경우는 구체적인 질문 형태 사용하고 해당 부분을 굵게 처리함(예, 다음에 교통카드를 어떻게 할까?).

4. 그림의 구성

스크립트별 그림은 총 10개로 전체 스크립트 상황을 표현하는 전체 상황 그림 1개와 단계별 그림 9개로 구성하였다.

전체 상황 그림은 상황 이해를 위한 기본적인 관련 배경과 9단계에 스크립트 중 중요한 절차 그림이 포함되도록 구성하고, 단계별 그림은 단계별 목표언어형태만을 중심으로 구성하였다. 단계별 그림은 스크립트의 전체적 절차에 대한 이해가 쉽고, 단계별 연계성을 가지면서 가능한 목표언어형태의 산출 유도가 용이하도록 고안하였다. 전체 및 각 단계별 그림의 예시는 〈그림 1〉과 같다.

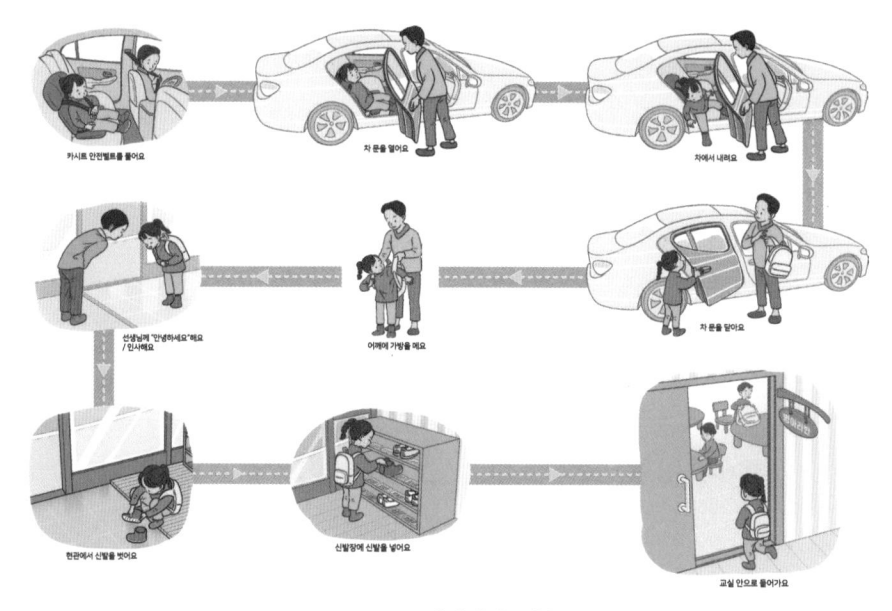

그림 1. **어린이집 도착**

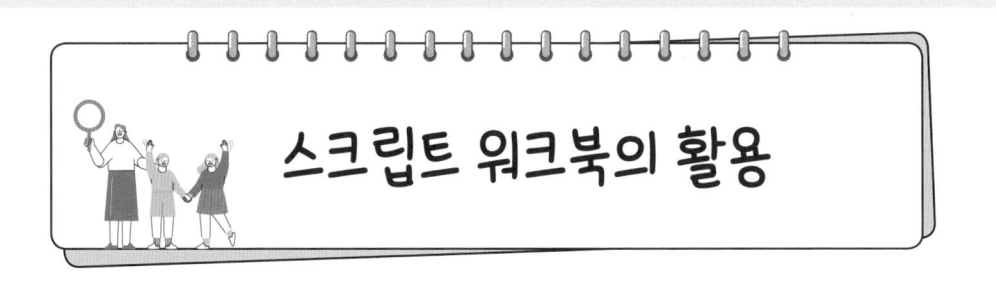

스크립트 워크북의 활용

1. 기본적 활용방법

본 스크립트북의 스크립트를 활용한 중재의 기본 절차와 원리는 다음과 같다.

(1) 상황을 선정한다.

(2) 아동의 수준을 고려하여 초기 중재 시 선정한 상황의 9단계 중 몇 개의 단계로 구성하여 중재할 것인지를 결정한다.

(3) 제시된 언어수준(한단어, 두단어 조합, 다단어 문장, 대화) 중에서 아동의 수준에 맞는 적절한 언어형태 수준을 선택한다.

(4) 전체 상황 그림을 보며 해당 상황에 대한 설명을 해주거나 산출을 유도하며 상황에 대한 이해를 높인다.

(5) 단계별 그림을 제시하면서 단계별로 말을 연결하여 들려준다.

(6) 스크립트 중재 초기에는 동일한 단계로 동일한 시작과 끝, 동일한 언어 형태로 반복한다.

(7) 아동이 스크립트 언어형태가 익숙해지기 전인 초기 중재 단계에서는 치료사가 각 단계를 진행하면서 목표언어(말)를 덧붙여 시범을 보이면서 학습 기회를 제공한다.

(8) 아동이 어느 정도 익숙해지면, 점차 아동에게 먼저 말할 기회를 제공하면서 스크립트 각 단계를 진행한다.

(9) 일반적인 아동 발화의 유도 절차는 다음과 같다:
① 스크립트 재료를 제시하고 아동을 바라보며 개시 기회제공: '기다리기'
② 아동이 개시가 없으면 '단서 주기(몸짓, 의문사 질문, 첫 음절 말해 주기 등)'
③ 반응시간 주기: '기다리기'
④ 반응이 없으면 행동과 함께 언어형태 '시범 보이기'

(10) 아이가 목표한 언어 형태를 일정 수준으로 습득할 때까지는 동일한 형태를 반복하고, 이후 아동 언어 발달수준에 맞추어 스크립트 단계를 추가하거나 목표 발화의 길이를 점진적으로 변화시킨다.

2. 기타 이 책의 활용 방법

본 스크립트북은 각 상황마다 스크립트와 해당 일상을 전반적으로 표현하는 전체 상황 그림과 9단계의 스크립트 목표 언어형태를 나타내는 단계별 그림으로 구성되어 있다. 이러한 스크립트 북을 활용하여 아동의 언어를 평가 및 중재를 할 수 있는 몇몇 방안들을 제시하면 다음과 같다.

(1) 전체 그림의 활용

• 상황 주제를 먼저 아동에게 제시한 후에 전체 그림을 보면서 해당 상황에 대한 전반적인 이해를 돕는 활동을 한 후, 단계별 실시 후에 다시 전체 그림을 활용하여 이야기 산출 활동을 할 수 있다.

• 전체 그림을 사용하여 그림보고 이야기 산출하기로 사전-사후 평가를 실시하여 스크립트 중재를 통한 진전 정도를 평가할 수 있다. 아동의 발화 수준에 따라 다양한 표현 언어 영역(예, 어휘, 문장, 이야기 등)의 평가가 가능하다.

(2) 단계별 그림의 활용

- 모든 스크립트가 9개의 단계로 구성되어 있으나, 언어재활사의 판단하에 아동의 수준에 적절한 단계를 선정하여 진행할 수 있다. 9단계 중 선정하지 않은 그림들은 적절히 가리거나 삭제하고 선정한 단계 그림들만을 사용하여 중재를 진행한다. 이후 아동의 진전 정도에 따라 단계를 늘려가며 활동을 실시한다.

- 단계별 그림들을 스크립트 상황의 절차에 대한 시각적 단서로 제시하고, 해당 스크립트를 실제 재료를 활용한 활동 또는 행동으로 시연(act-out)하며 언어형태 외 연결하여 중재한다.

- 단계별 그림을 활용하여 순서에 맞게 배열하기 또는 연속된 그림을 사용한 이야기 산출 유도하기 활동 등으로 활용한다.

다양한 활동 예시

3-4세. 식사하기

3-4세. 옷 입기(겨울)

5-6세. 약 먹기

5-6세. 전자레인지 사용하기

3-4세. 소풍 후 등원하기

3-4세. 생일파티

5-6세. 유치원 간식 먹기

5-6세. 씨앗 심기

3-4세. 주사 맞기

3-4세. 크리스마스트리 꾸미기

5-6세. 햄버거 사 먹기

5-6세. 횡단보도 건너기

Ⅰ 가정생활

3~4세

- 식사하기
- 우유 마시기
- 씨리얼 먹기
- 이 닦기
- 머리 감기
- 옷 입기(겨울)
- 똥 누기

5~6세

- 약 먹기
- 목욕하기
- 방 청소하기
- 피자 배달 주문하기
- 설거지하기
- 선자레인지 이용하기
- 세탁기 이용하기

식사하기

핵심 단어 : 식탁, 숟가락, 젓가락, 반찬, 그릇, 들다, 푸다, 마시다, 치우다

시작 알리기 : 식탁에서 밥을 먹자

번호	단계	한단어	두단어	다단어 문장	대화
①	식탁의자에 앉기	의자	의자 앉아	식탁 의자에 앉아요	성인: 식탁에서 밥을 먹자. 어디에 앉을까? 아동: 식탁 의자에 앉아요.
②	숟가락 들기	숟가락	숟가락 들어	손으로 숟가락을 들어요	성인: 식탁 의자에 앉았어. 밥을 먹자. 뭐를 들까? 아동: 손으로 숟가락을 들어요.
③	밥 푸기	밥	밥 퍼	숟가락으로 밥을 퍼요	성인: 손으로 숟가락을 들었어. 숟가락으로 뭐를 풀까? 아동: 숟가락으로 밥을 퍼요.
④	밥 먹기	먹어	밥 먹어	숟가락으로 밥을 먹어요	성인: 숟가락으로 밥을 펐어. 밥을 어떻게 할까? 아동: 숟가락으로 밥을 먹어요.
⑤	젓가락 들기	젓가락	젓가락 들어	손으로 젓가락을 들어요	성인: 반찬을 먹자. 뭐를 들까? 아동: 손으로 젓가락을 들어요.
⑥	반찬 먹기	반찬	반찬 먹어	젓가락으로 반찬을 먹어요	성인: 손으로 젓가락을 들었어. 젓가락으로 뭘 먹을까? 아동: 젓가락으로 반찬을 먹어요.
⑦	물 따르기	물	물 따라	컵에 물을 따라요	성인: 반찬을 먹었어. 물을 마시자. 컵에 뭐를 따를까? 아동: 컵에 물을 따라요.
⑧	물 마시기	마셔	물 마셔	컵으로 물을 마셔요	성인: 컵에 물을 따랐어. 어떻게 할까? 아동: 컵으로 물을 마셔요.
⑨	그릇 치우기	치워	그릇 치워	씽크대에 그릇을 치워요	성인: 밥을 다 먹었다. 그릇을 어떻게 할까? 아동: 씽크대에 그릇을 치워요.

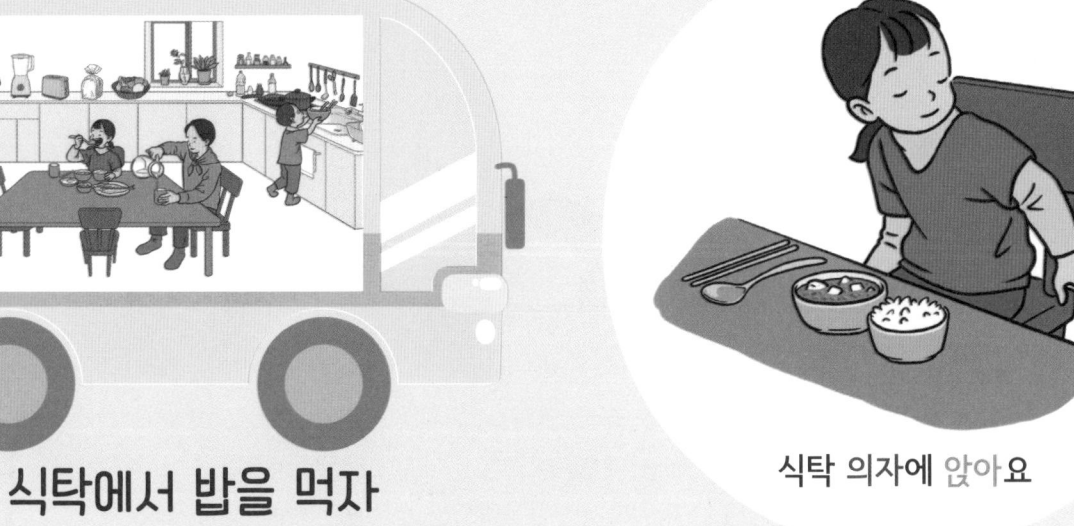

식탁에서 밥을 먹자

식탁 의자에 앉아요

손으로 숟가락을 들어요

숟가락으로 밥을 퍼요

숟가락으로 밥을 먹어요

손으로 젓가락을 들어요

젓가락으로 반찬을 먹어요

컵에 물을 따라요

씽크대에 그릇을 치워요

컵으로 물을 마셔요

우유 마시기

3~4세

핵심 단어: 냉장고, 우유병, 컵, 찬장, 열다, 닫다, 꺼내다, 따르다

시작 알리기: 냉장고에서 우유를 꺼내 마시자

번호	단계	한단어	두단어	다단어 문장	대화
①	냉장고 열기	냉장고	냉장고 열어	냉장고 문을 열어요	성인: 먼저 뭐를 열어야 할까? 아동: 냉장고 문을 열어요.
②	우유병 꺼내기	우유병	우유병 꺼내	냉장고에서 우유병을 꺼내요	성인: 냉장고 문을 열었어. 뭐를 할까? 아동: 냉장고에서 우유병을 꺼내요.
③	식탁에 놓기	놓아	우유병 놓아	식탁 위에 우유병을 놓아요	성인: 냉장고에서 우유병을 꺼냈어. 어떻게 할까? 아동: 식탁 위에 우유병을 놓아요.
④	컵을 꺼내기	컵	컵 꺼내	찬장에서 컵을 꺼내요	성인: 식탁 위에 우유병을 놓았어. 이제 찬장에서 뭐를 꺼낼까? 아동: 찬장에서 컵을 꺼내요.
⑤	우유병 열기	열어	뚜껑 열어	우유병 뚜껑을 열어요	성인: 컵을 찬장에서 꺼냈어. 다음에 뭐를 할까? 아동: 우유병 뚜껑을 열어요.
⑥	컵에 따르기	따라	우유 따라	컵에 우유를 따라요	성인: 우유병 뚜껑을 열었어. 이제 어떻게 할까? 아동: 컵에 우유를 따라요.
⑦	우유병 닫기	닫아	뚜껑 닫아	우유병 뚜껑을 닫아요	성인: 컵에 우유를 따랐어. 이제 우유병 뚜껑을 어떻게 할까? 아동: 우유병 뚜껑을 닫아요.
⑧	우유병 넣기	넣어	우유병 넣어	냉장고에 우유병을 넣어요	성인: 우유병 뚜껑을 닫았어. 이제 우유병은 어떻게 할까? 아동: 냉장고에 우유병을 넣어요.
⑨	우유 마시기	마셔	우유 마셔	컵으로 우유를 마셔요	성인: 우유병을 넣었어. 이제 뭐를 할까? 아동: 컵으로 우유를 마셔요.

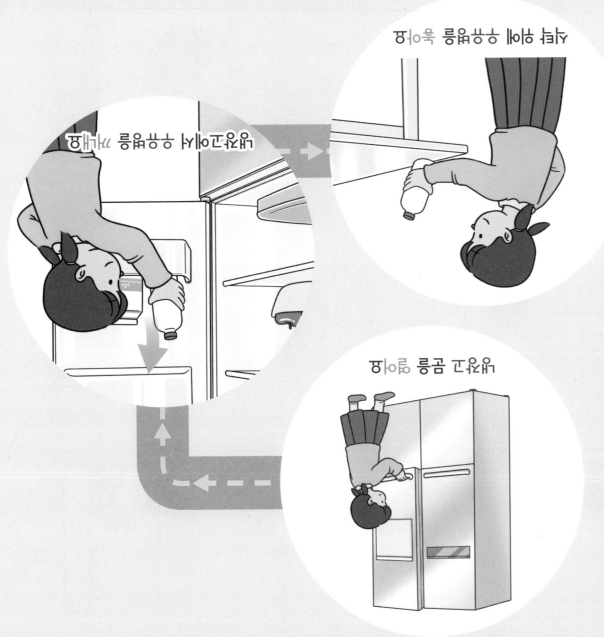

냉장고에서 음료수를 꺼내요

식탁 위에 음식물을 놓아요

냉장고 문을 닫아요

냉장고에서 반찬을 꺼내요

냉장고에서 음료수를 꺼내 마셔요

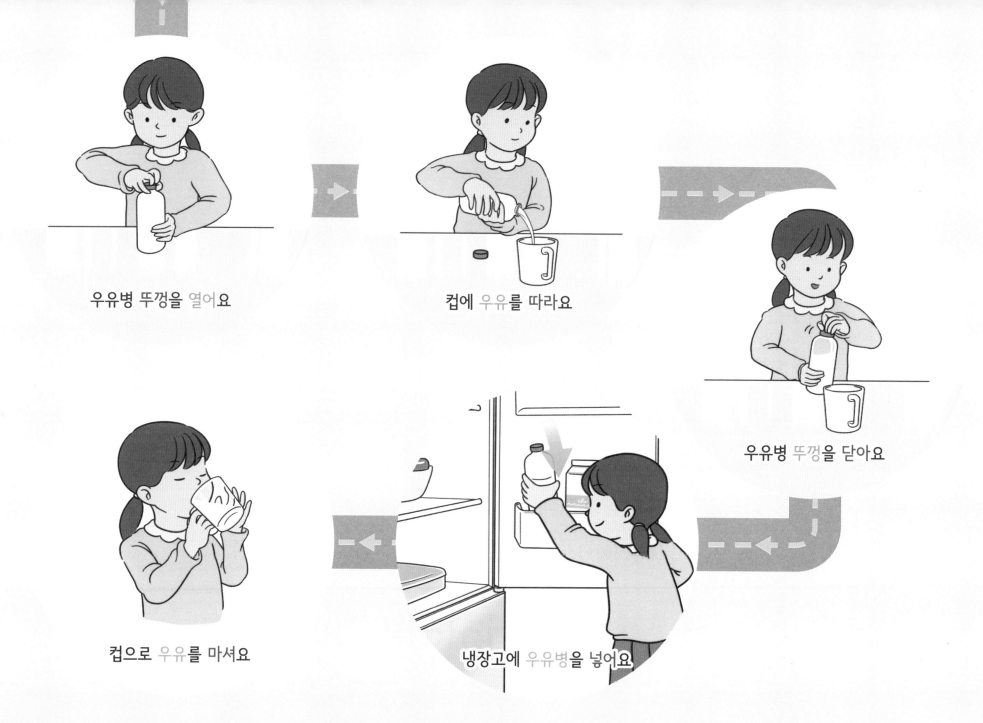

우유병 뚜껑을 열어요

컵에 우유를 따라요

우유병 뚜껑을 닫아요

컵으로 우유를 마셔요

냉장고에 우유병을 넣어요

씨리얼 먹기

핵심 단어: 씨리얼, 그릇, 선반, 싱크대, 봉지, (~에) 붓다, 봉지(를) 열다/닫다

시작 알리기: 우유에 씨리얼을 타 먹자

번호	단계	한단어	두단어	다단어 문장	대화
①	씨리얼 가져오기	씨리얼	씨리얼 가져와	선반에서 씨리얼을 가져와요	성인: 선반에서 뭐를 가져올까? 아동: 선반에서 씨리얼을 가져와요.
②	씨리얼 봉지 열기	열어	봉지 열어	씨리얼 봉지를 열어요	성인: 씨리얼을 선반에서 가져왔어. 씨리얼 봉지를 어떻게 할까? 아동: 씨리얼 봉지를 열어요.
③	씨리얼 담기	그릇	그릇에 부어	씨리얼을 그릇에 부어요	성인: 씨리얼 봉지를 열었어. 씨리얼을 어디에 부을까? 아동: 씨리얼을 그릇에 부어요.
④	씨리얼 봉지 닫기	닫아	봉지 닫아	씨리얼 봉지를 닫아요	성인: 씨리얼을 그릇에 부었어. 봉지를 어떻게 할까? 아동: 씨리얼 봉지를 닫아요.
⑤	우유 꺼내기	우유	우유 꺼내	냉장고에서 우유를 꺼내요	성인: 씨리얼 봉지를 닫았어. 이제 냉장고에서 뭐를 꺼낼까? 아동: 냉장고에서 우유를 꺼내요.
⑥	우유 뚜껑 열기	뚜껑	뚜껑 열어	우유 뚜껑을 열어요	성인: 우유를 냉장고에서 꺼냈어. 다음에 뭐를 할까? 아동: 우유 뚜껑을 열어요.
⑦	우유 붓기	부어	우유 부어	씨리얼에 우유를 부어요	성인: 우유 뚜껑을 열었어. 다음에 어떻게 할까? 아동: 씨리얼에 우유를 부어요.
⑧	씨리얼 섞기	섞어	씨리얼 섞어	숟가락으로 씨리얼을 섞어요	성인: 우유를 씨리얼에 부었어. 다음에 뭐를 할까? 아동: 숟가락으로 씨리얼을 섞어요.
⑨	씨리얼 먹기	먹어	씨리얼 먹어	숟가락으로 씨리얼을 먹어요	성인: 씨리얼을 숟가락으로 섞었어. 다음에 뭐를 할까? 아동: 숟가락으로 씨리얼을 먹어요.

우유에 씨리얼을 타 먹자

선반에서 씨리얼을 가져와요

씨리얼 봉지를 열어요

씨리얼을 그릇에 부어요

씨리얼 봉지를 닫아요

냉장고에서 우유를 꺼내요

우유 뚜껑을 열어요

씨리얼에 우유를 부어요

숟가락으로 씨리얼을 섞어요

숟가락으로 씨리얼을 먹어요

이 닦기

3~4세

핵심 단어 : 칫솔, 치약, 뚜껑, 물양치, 열다, 닫다, 치약(을) 짜다, 닦다, 뱉다

시작 알리기 : 칫솔과 치약으로 이를 닦자

번호	단계	한단어	두단어	다단어 문장	대화
①	칫솔 꺼내기	칫솔	칫솔 꺼내	통에서 칫솔을 꺼내요	성인: 이를 닦자. 통에서 무엇을 꺼낼까? 아동: 통에서 칫솔을 꺼내요.
②	치약 꺼내기	치약	치약 꺼내	통에서 치약을 꺼내요	성인: 칫솔을 통에서 꺼냈어. 이제 통에서 뭐를 꺼낼까? 아동: 통에서 치약을 꺼내요.
③	뚜껑 열기	뚜껑	뚜껑 열어	치약 뚜껑을 열어요	성인: 치약을 통에서 꺼냈어. 다음에 어떻게 할까? 아동: 치약 뚜껑을 열어요.
④	치약 짜기	짜	치약 짜	칫솔에 치약을 짜요	성인: 치약 뚜껑을 열었어. 다음에 어떻게 할까? 아동: 칫솔에 치약을 짜요.
⑤	뚜껑 닫기	닫아	뚜껑 닫아	치약 뚜껑을 닫아요	성인: 칫솔에 치약을 짰어. 다음에 뭐를 할까? 아동: 치약 뚜껑을 닫아요.
⑥	칫솔질하기	닦아	이 닦아	칫솔로 이를 닦아요	성인: 치약 뚜껑을 닫았어. 다음에 뭐를 할까? 아동: 칫솔로 이를 닦아요.
⑦	컵에 물 받기	물	물 받아	컵에 물을 받아요	성인: 칫솔로 이를 닦았어. 다음에 컵에 뭐를 받을까? 아동: 컵에 물을 받아요.
⑧	헹구기	헹궈	입 헹궈	물로 입을 헹궈요	성인: 컵에 물을 받았어. 다음에 뭐를 할까? 아동: 물로 입을 헹궈요.
⑨	물 뱉기	뱉어	물 뱉어	세면대에 물을 뱉어요	성인: 물로 입을 헹궜어. 이제 어떻게 할까? 아동: 세면대에 물을 뱉어요.

칫솔과 치약으로 이를 닦자

통에서 칫솔을 꺼내요

통에서 치약을 꺼내요

칫솔에 치약을 짜요

치약 뚜껑을 열어요

치약 뚜껑을 닫아요

칫솔로 이를 닦아요

컵에 물을 받아요

세면대에 물을 뱉어요.

물로 입을 헹궈요

머리 감기

3~4세

번호	단계	한단어	두단어	다단어 문장	대화
①	물 틀기	물	물 틀어	샤워기 물을 틀어요	성인: 먼저 뭐를 할까? 아동: 샤워기 물을 틀어요.
②	고개 숙이기	숙여	고개 숙여	고개를 아래로 숙여요	성인: 샤워기 물을 틀었어. 다음에 고개를 어떻게 할까? 아동: 고개를 아래로 숙여요.
③	(머리에) 물 적시기	적셔	머리 적셔	물로 머리를 적셔요	성인: 고개를 아래로 숙였어. 다음에 머리를 어떻게 할까? 아동: 물로 머리를 적셔요.
④	샴푸 짜기	샴푸	샴푸 짜	손에 샴푸를 짜요	성인: 물로 머리를 적셨다. 다음에 뭐를 할까? 아동: 손에 샴푸를 짜요.
⑤	머리 문지르기	문질러	머리 문질러	샴푸를 머리에 문질러요	성인: 손에 샴푸를 짰어. 다음에 뭐를 할까? 아동: 샴푸를 머리에 문질러요.
⑥	물로 헹구기	헹궈	머리 헹궈	물로 머리를 헹궈요	성인: 샴푸를 머리에 문질렀어. 다음에 뭐를 할까? 아동: 물로 머리를 헹궈요.
⑦	수건으로 닦기	닦아	머리 닦아	수건으로 머리를 닦아요	성인: 물로 머리를 헹궜어. 다음에 뭐를 할까? 아동: 수건으로 머리를 닦아요.
⑧	머리 말리기	말려	머리 말려	드라이로 머리를 말려요	성인: 수건으로 머리를 닦았어. 다음에 어떻게 할까? 아동: 드라이로 머리를 말려요.
⑨	빗질 하기	빗어	머리 빗어	빗으로 머리를 빗어요	성인: 드라이로 머리를 다 말렸어. 다음에 뭐를 할까? 아동: 빗으로 머리를 빗어요.

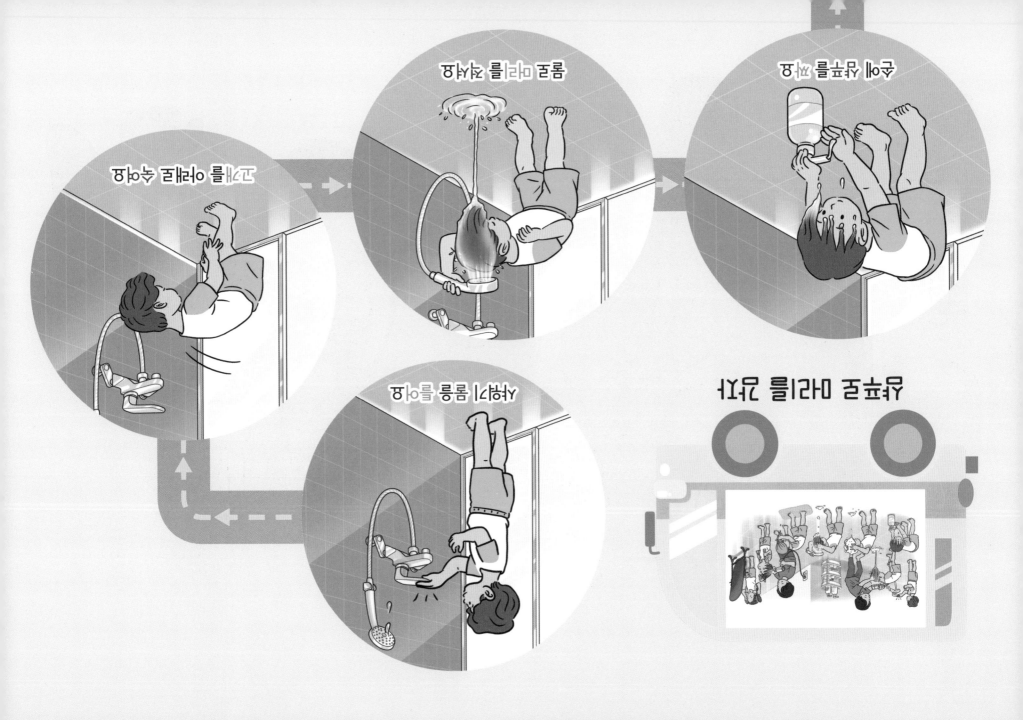

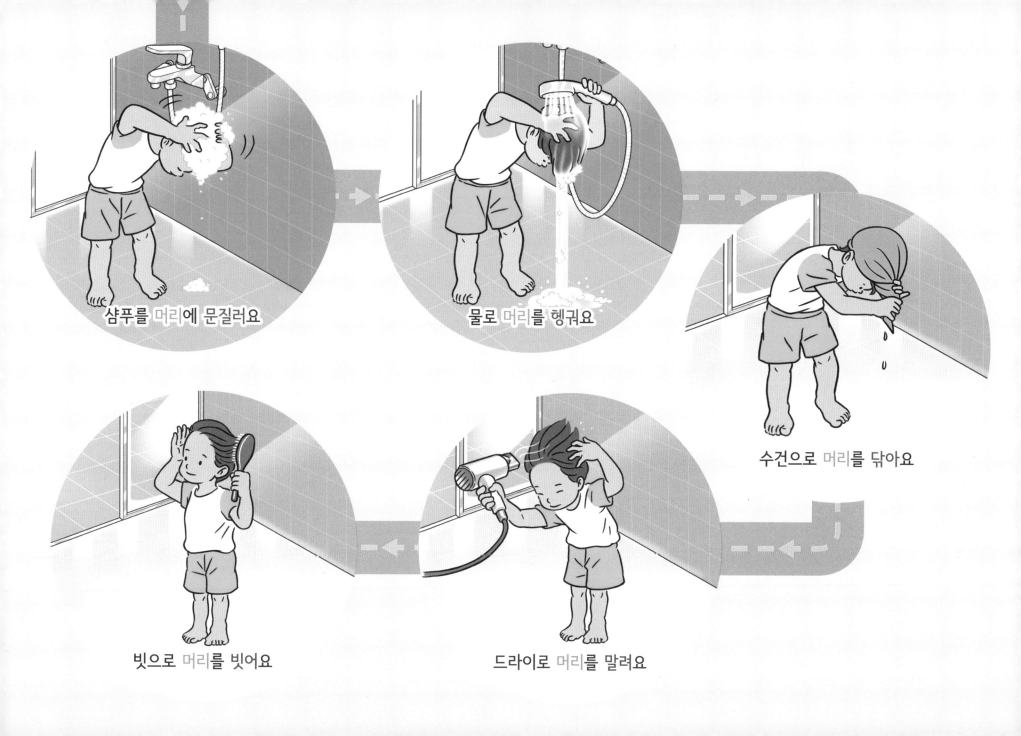

샴푸를 머리에 문질러요

물로 머리를 헹궈요

수건으로 머리를 닦아요

빗으로 머리를 빗어요

드라이로 머리를 말려요

옷 입기(겨울)

3~4세

핵심 단어	긴팔 셔츠, 긴 바지, 외투, 목도리, 두껍다, 장갑(을) 끼다, 목도리(를) 두르다
시작 알리기	겨울이다, 우리 옷 입고 나가자

번호	단계	한단어	두단어	다단어 문장	대화
①	옷 가져오기	옷	옷 가져와	두꺼운 옷을 가져와요	성인: 우리 밖에 나가자 먼저 뭐를 해야 할까? 아동: 두꺼운 옷을 가져와요.
②	바지 입기	긴 바지	긴 바지 입어	두꺼운 긴 바지를 입어요	성인: 겨울이야. 어떤 바지를 입어야 할까? 아동: 두꺼운 긴 바지를 입어요.
③	긴팔 셔츠 입기	긴팔	긴팔 셔츠	긴팔 셔츠를 입어요	성인: 두꺼운 긴 바지를 입었어. 어떤 셔츠를 입어야 할까? 아동: 긴팔 셔츠를 입어요.
④	양말 신기	양말	양말 신어	발에 양말을 신어요	성인: 긴팔 셔츠를 입었어. 다음에 뭐를 신을까? 아동: 발에 양말을 신어요.
⑤	외투 입기	외투	외투 입어	겨울 외투를 입어요	성인: 양말을 신었어. 다음에 뭐를 입을까? 아동: 겨울 외투를 입어요.
⑥	목도리 두르기	목도리	목도리 둘러	목에 목도리를 둘러요	성인: 겨울 외투를 입었어. 다음에 뭐를 두를까? 아동: 목에 목도리를 둘러요.
⑦	모자 쓰기	모자	모자 써	머리에 모자를 써요	성인: 목에 목도리를 둘렀어. 다음에 뭐를 쓸까? 아동: 머리에 모자를 써요.
⑧	장갑 끼기	장갑	장갑 껴	손에 장갑을 껴요	성인: 모자를 썼어. 다음에 뭐를 낄까? 아동: 손에 장갑을 껴요.
⑨	신발 신기	신발	신발 신어	발에 신발을 신어요	성인: 손에 장갑을 꼈어. 이제 뭐를 신을까? 아동: 발에 신발을 신어요.

23

겨울이다, 우리 옷 입고 나가자

두꺼운 옷을 가져와요

두꺼운 긴 바지를 입어요

발에 양말을 신어요

긴팔 셔츠를 입어요

겨울 외투를 입어요

목에 목도리를 둘러요

머리에 모자를 써요

발에 신발을 신어요

손에 장갑을 껴요

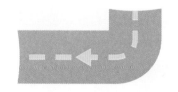

똥 누기

핵심 단어 ➤ 변기, 뚜껑, 열다, 닫다, (바지) 내리다/올리다, 엎드리다, 닦다

시작 알리기 ➤ 화장실에서 똥을 누자

번호	단계	한단어	두단어	다단어 문장	대화
①	변기 뚜껑 열기	뚜껑	뚜껑 열어	변기 뚜껑을 열어요	성인: 화장실에서 제일 먼저 뭐를 할까? 아동: 변기 뚜껑을 열어요.
②	바지 내리기	바지	바지 내려	바지를 아래로 내려요	성인: 변기 뚜껑을 열었어. 다음에 뭐를 할까? 아동: 바지를 아래로 내려요.
③	변기에 앉기	앉아	변기 앉아	변기 위에 앉아요	성인: 바지를 아래로 내렸어. 다음에 뭐를 할까? 아동: 변기 위에 앉아요.
④	똥 누기	똥	똥 눠	변기에 똥을 눠요	성인: 변기에 위에 앉았어. 다음에 뭐를 할까? 아동: 변기에 똥을 눠요.
⑤	변기 물 내리기	물	물 내려	변기 물을 내려요	성인: 변기에 똥을 눴어. 변기 물을 어떻게 할까? 아동: 변기 물을 내려요.
⑥	엎드리기	엎드려	바닥에 엎드려	손 짚고 바닥에 엎드려요	성인: 변기 뚜껑을 닫았어. 이제 똥을 닦자. 바닥에 어떻게 할까? 아동: 손 짚고 바닥에 엎드려요.
⑦	휴지로 닦기	닦아	똥 닦아	휴지로 똥을 닦아요	성인: 바닥에 손 짚고 엎드렸어. 다음에 뭐를 할까? 아동: 휴지로 똥을 닦아요.
⑧	바지 입기	입어	바지 입어	바지를 올려서 입어요	성인: 휴지로 똥을 닦았어. 바지를 어떻게 할까? 아동: 바지를 올려서 입어요.
⑨	손 씻기	씻어	손 씻어	세면대에서 손을 씻어요	성인: 똥을 눴어. 그러면 손은 어떻게 해야 할까? 아동: 세면대에서 손을 씻어요.

27

화장실에서 똥을 누자

변기 뚜껑을 열어요

바지를 아래로 내려요

변기 위에 앉아요

변기에 똥을 눠요

변기 물을 내려요

손 짚고 바닥에 엎드려요

휴지로 똥을 닦아요

세면대에서 손을 씻어요

바지를 올려서 입어요

약 먹기

5~6세

핵심 단어 복용 시간, 약 봉투, 선반, 봉지, 확인(하다), (~을) 담다, 삼키다, 뜯다

시작 알리기 점심 약을 먹어요 (준비물: 시계, 약 봉투, 컵)

번호	단계	한단어	두단어	다단어 문장	대화
①	약 시간 확인	시간	시간 확인	약 시간을 확인해요	성인: 약을 먹어야 해. 제일 먼저 뭐를 확인할까? 아동: 약 시간을 확인해요.
②	약 봉투 가져오기	약	약 봉투	약 봉투를 가져와요	성인: 약 시간을 확인했어. 다음에 뭐를 가져올까? 아동: 약 봉투를 가져와요.
③	컵 꺼내기	컵	컵 꺼내	선반에서 컵을 꺼내요	성인: 약 봉투를 가져왔어. 다음에 선반에서 뭐를 꺼낼까? 아동: 선반에서 컵을 꺼내요.
④	물 담기	물	물 담아	컵에 물을 담아요	성인: 선반에서 컵을 꺼냈어. 다음에 뭐를 할까? 아동: 컵에 물을 담아요.
⑤	약 꺼내기	꺼내	약 꺼내	봉투에서 약을 꺼내요	성인: 컵에 물을 담았어. 다음에 봉투에서 뭐를 꺼낼까? 아동: 봉투에서 약을 꺼내요.
⑥	점심 약 확인하기	확인	약 확인	점심 약을 확인해요	성인: 봉투에서 약을 꺼냈어. 다음에 어떻게 할까? 아동: 점심 약을 확인해요.
⑦	약 봉지 뜯기	뜯어	봉지 뜯어	약 봉지를 뜯어요	성인: 점심 약을 확인했어. 다음에 뭐를 할까? 아동: 약 봉지를 뜯어요.
⑧	약 넣기	넣어	약 넣어	입에 약을 넣어요	성인: 약 봉지를 뜯었어. 다음에 어떻게 할까? 아동: 입에 약을 넣어요.
⑨	약 삼키기	삼켜	약 삼켜	물로 약을 삼켜요	성인: 입에 약을 넣었어. 이제 어떻게 할까? 아동: 물로 약을 삼켜요

31

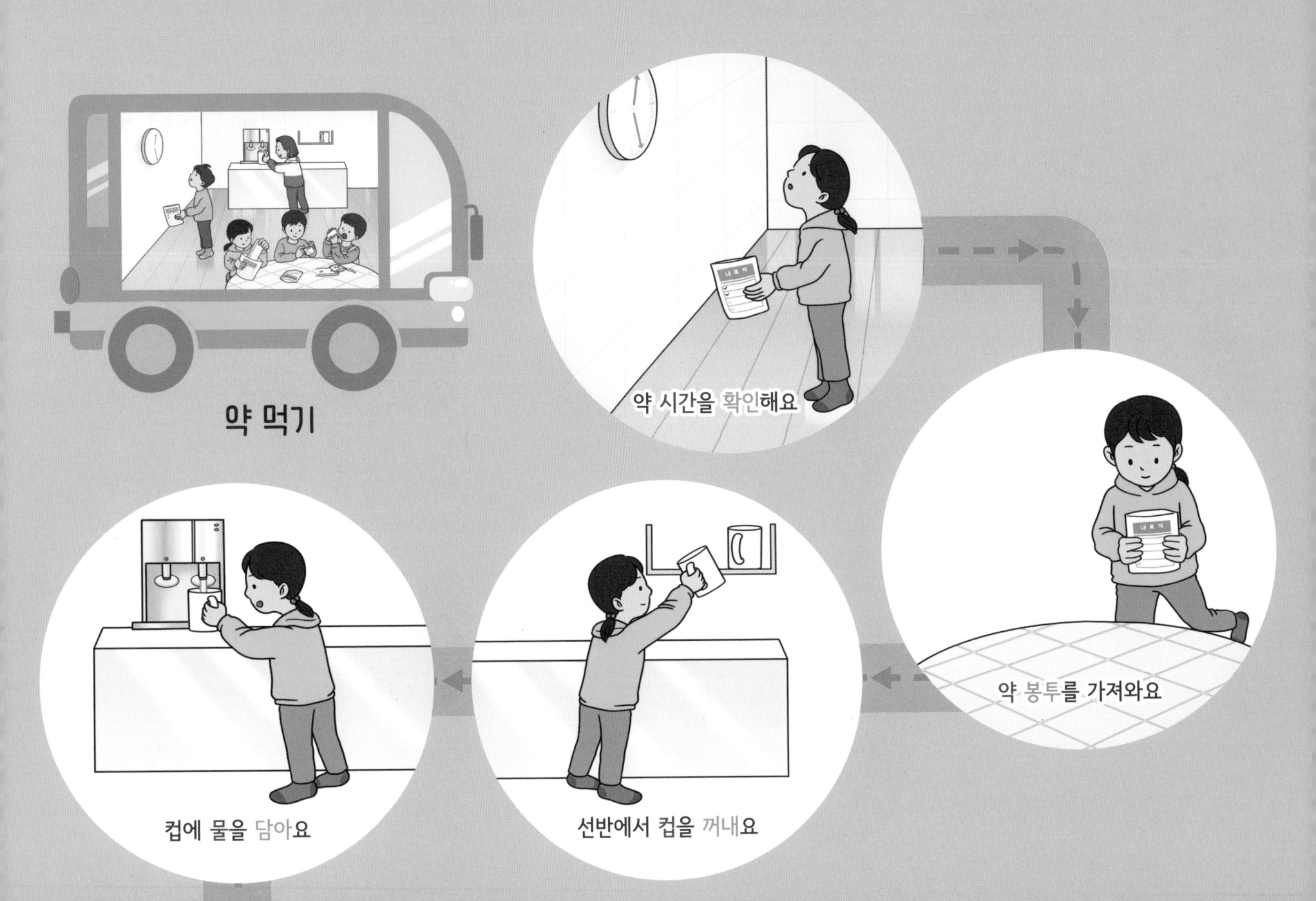

약 먹기

약 시간을 확인해요

약 봉투를 가져와요

선반에서 컵을 꺼내요

컵에 물을 담아요

봉투에서 약을 꺼내요

점심 약을 확인해요

약 봉지를 뜯어요

물로 약을 삼켜요

입에 약을 넣어요

목욕하기

핵심 단어 : 샴푸, 로션, 드라이어/드라이기, 머리 감다, 헹구다, 말리다, (~을) 바르다, 깨끗한

시작 알리기 : 목욕탕에서 목욕을 하자

번호	단계	한단어	두단어	다단어 문장	대화
①	옷 벗기	벗어	옷 벗어	옷을 벗어요	성인: 목욕하려면 먼저 뭐를 할까? 아동: 옷을 벗어요.
②	샴푸하기	머리	머리 감아	샴푸로 머리를 감아요	성인: 옷을 벗었어. 샴푸로 뭐를 할까? 아동: 샴푸로 머리를 감아요.
③	머리 헹구기	헹궈	머리 헹궈	물로 머리를 헹궈요	성인: 머리에 샴푸를 했어. 다음에 뭐를 할까? 아동: 물로 머리를 헹궈요.
④	몸에 비누칠하기	비누칠	몸 비누칠해	목욕타올로 몸에 비누칠해요	성인: 물로 머리를 헹궜어. 다음에 뭐를 할까? 아동: 목욕타올로 몸에 비누칠해요.
⑤	몸 헹구기	씻어	몸 씻어	물로 몸을 씻어요	성인: 목욕타올로 몸에 비누칠했어 다음에 뭐를 할까? 아동: 물로 몸을 씻어요.
⑥	수건으로 닦기	닦아	몸 닦아	수건으로 몸을 닦아요	성인: 물로 몸을 씻었어. 목욕을 다했다. 이제 어떻게 할까? 아동: 수건으로 몸을 닦아요.
⑦	로션 바르기	발라	로션 발라	몸에 로션을 발라요	성인: 수건으로 몸을 닦았어 로션을 어떻게 할까? 아동: 몸에 로션을 발라요.
⑧	옷 입기	입어	옷 입어	깨끗한 옷을 입어요	성인: 로션을 몸에 발랐어. 다음에 뭐를 할까? 아동: 깨끗한 옷을 입어요.
⑨	머리 말리기	말려	머리 말려	드라이기로 머리를 말려요	성인: 깨끗한 옷을 입었어. 드라이기로 뭐를 할까? 아동: 드라이기로 머리를 말려요.

목욕탕에서 목욕을 하자

옷을 벗어요

샴푸로 머리를 감아요

목욕타올로 몸에 비누칠해요

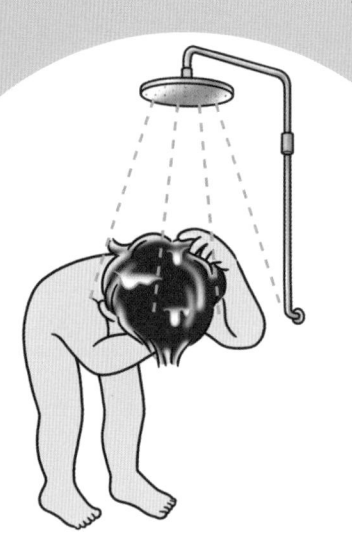

물로 머리를 헹궈요

물로 몸을 씻어요

수건으로 몸을 닦아요

몸에 로션을 발라요

드라이기로 머리를 말려요

깨끗한 옷을 입어요

방 청소하기

핵심 단어 ▷▷ 청소, 창문, 청소기, 코드, 꽂다, 빼다, 전원(을) 켜다/끄다, 제자리

시작 알리기 ▷▷ 청소기로 방 청소를 하자

번호	단계	한단어	두단어	다단어 문장	대화
①	창문 열기	창문	창문 열어	방 창문을 열어요	성인: 방 청소하기 전에 뭐를 열까? 아동: 방 창문을 열어요.
②	청소기 가져오기	청소기	청소기 가져와	방으로 청소기를 가져와요	성인: 방 창문을 열었어. 다음에 뭐를 할까? 아동: 방으로 청소기를 가져와요.
③	전기 꽂기	꽂아	코드 꽂아	청소기 전기/코드를 꽂아요	성인: 방으로 청소기를 가져왔어. 다음에 뭐를 할까? 아동: 청소기 전기/코드를 꽂아요.
④	청소기 켜기	켜	전원 켜	청소기 전원을 켜요	성인: 청소기 전기/코드를 꽂았어. 다음에 뭐를 할까? 아동: 청소기 전원을 켜요.
⑤	청소하기	청소해	방 청소해	청소기로 방을 청소해요	성인: 청소기 전원을 켰어. 이제 어떻게 할까? 아동: 청소기로 방을 청소해요.
⑥	청소기 끄기	꺼	전원 꺼	청소기 전원을 꺼요	성인: 청소기로 청소를 다 했다. 이제 어떻게 할까? 아동: 청소기 전원을 꺼요.
⑦	코드 빼기	빼	코드 빼	청소기 전기/코드를 빼요	성인: 청소기 전원을 껐어. 코드를 어떻게 할까? 아동: 청소기 전기/코드를 빼요.
⑧	청소기 제자리 놓기	제자리	제자리 놓아	청소기를 제자리에 놓아요	성인: 청소기를 다 했어. 청소기를 어떻게 할까? 아동: 청소기를 제자리에 놓아요.
⑨	창문 닫기	닫아	창문 닫아	방 창문을 닫아요	성인: 청소를 다 했다. 방 창문을 어떻게 할까? 아동: 방 창문을 닫아요.

청소기로 방 청소를 하자

방 창문을 열어요

방으로 청소기를 가져와요

청소기 전원을 켜요

청소기 전기/코드를 꽂아요

청소기로 방을 청소해요

청소기 전원을 꺼요

청소기 전기/코드를 빼요

방 창문을 닫아요

청소기를 제자리에 놓아요

피자 배달 주문하기

핵심 단어: 앱, 주소, 메뉴, 앱(을) 켜다, 주문(하다), 터치(하다), 입력(하다), 결제(하다), 배달(하다), 나누다

시작 알리기: 스마트폰 앱으로 피자를 주문하자

번호	단계	한단어	두단어	다단어 문장	대화
①	주문 앱 켜기	앱	앱 켜	주문 앱을 켜요	성인: 스마트폰으로 피자를 주문하자. 먼저 뭐를 할까? 아동: 주문 앱을 켜요.
②	피자 메뉴 고르기	피자	피자 골라	메뉴에서 피자를 골라요	성인: 주문 앱을 켰어. 다음에 뭐를 골라야 할까? 아동: 피자 메뉴를 골라요.
③	메뉴 버튼 터치하기	터치해	메뉴 터치해	피자 메뉴를 터치해요	성인: 앱에서 피자 메뉴를 골랐어. 다음에 뭐를 할까? 아동: 피자 메뉴를 터치해요.
④	주소 입력하기	주소	주소 입력해	배달 주소를 입력해요	성인: 피자 메뉴를 터치해서 주문 했어. 다음에 뭐를 할까? 아동: 배달 주소를 입력해요.
⑤	피자 값 결제하기	결제	값 결제해	피자 값을 결제해요	성인: 배달 주소를 입력했어. 다음엔 뭐를 할까? 아동: 피자 값을 결제해요.
⑥	피자 배달 기다리기	기다려	배달 기다려	피자 배달을 기다려요	성인: 피자 값을 결제했어. 이제 어떻게 할까? 아동: 피자 배달을 기다려요.
⑦	피자 도착	배달	배달 도착	피자 배달이 도착해요	성인: 피자 배달을 기다렸어. 초인종이 울리네. 뭘까? 아동: 피자 배달이 도착했어요.
⑧	피자 상자 받기	받아	피자 상자 받아	배달원한테 피자 상자를 받아요	성인: 피자 배달이 도착했어. 어떻게 할까? 아동: 배달원한테 피자 상자를 받아요.
⑨	피자 먹기	먹어	피자 먹어	다같이 피자를 먹어요	성인: 배달원한테 피자 상자를 받았어. 피자를 어떻게 할까? 아동: 다같이 피자를 먹어요.

스마트폰 앱으로 피자를 주문하자

주문 앱을 켜요

메뉴에서 피자를 골라요

피자 메뉴를 터치해요

배달 주소를 입력해요

피자 값을 결제해요

피자 배달을 기다려요~

피자 배달이 도착해요

다같이 피자를 먹어요

배달원한테 피자 상자를 받아요

설거지하기

핵심 단어	설거지, 싱크대, 고무장갑, 수세미, 세제, 건조대, 묻히다, 헹구다, 걸다
시작 알리기	싱크대에서 설거지를 하자

번호	단계	한단어	두단어	다단어 문장	대화
①	싱크대에 넣기	싱크대	싱크대에 넣어	그릇을 싱크대에 넣어요	성인: 설거지를 하자. 그릇을 어디에 넣을까? 아동: 그릇을 싱크대에 넣어요.
②	고무장갑 끼기	고무장갑	고무장갑 껴	손에 고무장갑을 껴요	성인: 그릇을 싱크대에 넣었어. 이제 손에 뭐를 낄까? 아동: 손에 고무장갑을 껴요.
③	물 틀기	물	물 틀어	씽크대 물을 틀어요	성인: 손에 고무장갑을 꼈어. 다음에 뭐를 틀까? 아동: 씽크대 물을 틀어요.
④	세제 묻히기	세제	세제 묻혀	수세미에 세제를 묻혀요	성인: 씽크대 물을 틀었어. 수세미에 무엇을 묻힐까? 아동: 수세미에 세제를 묻혀요.
⑤	그릇 닦기	닦아	그릇 닦아	수세미로 그릇을 닦아요	성인: 수세미에 세제를 묻혔어. 다음에 뭐를 할까? 아동: 수세미로 그릇을 닦아요.
⑥	그릇 헹구기	헹궈	그릇 헹궈	물로 그릇을 헹궈요	성인: 수세미로 그릇을 닦았어. 다음에 뭐를 할까? 아동: 물로 그릇을 헹궈요.
⑦	건조대에 놓기	건조대	건조대 놓아	그릇을 건조대에 놓아요	성인: 물로 그릇을 헹궜어. 이제 그릇을 어디에 놓을까? 아동: 그릇을 건조대에 놓아요.
⑧	고무장갑 벗기	벗어	고무장갑 벗어	손에서 고무장갑을 벗어요	성인: 그릇을 건조대에 놓았어. 이제 고무장갑을 어떻게 할까? 아동: 손에서 고무장갑을 벗어요.
⑨	고무장갑 걸기	걸어	고무장갑 걸어	고리에 고무장갑을 걸어요	성인: 고무장갑을 벗었어. 고무장갑을 어디에 걸까? 아동: 고리에 고무장갑을 걸어요.

싱크대에서 설거지를 하자

그릇을 싱크대에 넣어요

손에 고무장갑을 껴요

수세미에 세제를 묻혀요

씽크대 물을 틀어요

수세미로 그릇을 닦아요

물로 그릇을 헹궈요

그릇을 건조대에 놓아요

고리에 고무장갑을 걸어요

손에서 고무장갑을 벗어요

전자레인지 사용하기

핵심 단어	피자, 전자레인지, 버튼, 데우다/데워지다, 담다
시작 알리기	전자레인지로 피자를 데우자

번호	단계	한단어	두단어	다단어 문장	대화
①	피자 꺼내기	피자	피자 꺼내	냉장고에서 피자를 꺼내요	성인: 전자레인지로 피자를 데우자 냉장고에서 뭐를 꺼낼까? 아동: 냉장고에서 피자를 꺼내요.
②	피자 담기	접시	접시에 담아	피자를 접시에 담아요	성인: 냉장고에서 피자를 꺼냈어. 피자를 어디에 담을까? 아동: 피자를 접시에 담아요.
③	전자레인지 문 열기	전자레인지	전자레인지 열어	전자레인지 문을 열어요	성인: 접시에 피자를 담았어. 다음에 뭐를 할까? 아동: 전자레인지 문을 열어요.
④	접시 넣기	넣어	접시 넣어	전자레인지에 접시를 넣어요	성인: 전자레인지 문을 열었어. 다음에 뭐를 할까? 아동: 전자레인지에 접시를 넣어요.
⑤	전자레인지 문 닫기	닫아	전자레인지 닫아	전자레인지 문을 닫아요	성인: 전자레인지에 접시를 넣었어. 다음에 뭐를 할까? 아동: 전자레인지 문을 닫아요.
⑥	전자레인지 버튼 누르기	버튼	버튼 눌러	전자레인지 버튼을 눌러요	성인: 전자레인지 문을 닫았어. 다음에 뭐를 할까? 아동: 전자레인지 버튼을 눌러요.
⑦	기다리기	기다려	피자 기다려	피자가 데워지길 기다려요	성인: 전자레인지 버튼을 눌렀어. 다음에 뭐를 할까? 아동: 피자가 데워지길 기다려요.
⑧	피자접시 꺼내기	꺼내	피자 꺼내	전자레인지에서 피자를 꺼내요	성인: 피자가 데워졌어. 어떻게 할까? 아동: 전자레인지에서 피자를 꺼내요.
⑨	피자 먹기	먹어	피자 먹어	포크로 피자를 먹어요	성인: 피자를 전자레인지에서 꺼냈어. 다음에 뭐를 할까? 아동: 포크로 피자를 먹어요.

전자레인지로 피자를 데우자

냉장고에서 피자를 꺼내요

피자를 접시에 담아요

전자레인지에 접시를 넣어요

전자레인지 문을 열어요

전자레인지 문을 닫아요

전자레인지 버튼을 눌러요

피자가 데워지길 기다려요

전자레인지에서 피자를 꺼내요

포크로 피자를 먹어요

세탁기 사용하기

핵심 단어	세탁기, 빨래, 세제, 전원, 동작(시작)버튼
시작 알리기	세탁기로 빨래를 하자

번호	단계	한단어	두단어	다단어 문장	대화
①	세탁기 전원 켜기	켜	전원 켜	세탁기 전원을 켜요	성인: 제일 먼저 세탁기를 어떻게 할까? 아동: 세탁기 전원을 켜요.
②	문 열기	문	문 열어	세탁기 문을 열어요	성인: 세탁기 전원을 켰어. 다음에 뭐를 열까? 아동: 세탁기 문을 열어요.
③	빨래 넣기	넣어	빨래 넣어	세탁기에 빨래를 넣어요	성인: 세탁기 문을 열었어. 다음에 뭐를 넣을까? 아동: 세탁기에 빨래를 넣어요.
④	세제 넣기	세제	세제 넣어	세제통에 세제를 넣어요	성인: 세탁기에 빨래를 넣었어. 다음에 뭐를 넣을까? 아동: 세제통에 세제를 넣어요.
⑤	세탁기 문 닫기	닫아	문 닫아	세탁기 문을 닫아요	성인: 세제통에 세제를 넣었어. 이제 어떻게 할까? 아동: 세탁기 문을 닫아요.
⑥	동작 버튼 누르기	버튼	버튼 눌러	동작 버튼을 눌러요	성인: 세탁기 문을 닫았어. 다음에 뭐를 누를까? 아동: 동작 버튼을 눌러요.
⑦	빨래 기다리기	기다려	빨래 기다려	빨래가 끝나기를 기다려요	성인: 동작 버튼을 눌렀어. 이제 뭐를 할까? 아동: 빨래가 끝나기를 기다려요.
⑧	세탁기 문 열기	열어	문 열어	세탁기 문을 열어요	성인: 빨래가 끝났어. 이제 어떻게 할까? 아동: 세탁기 문을 열어요.
⑨	빨래 꺼내기	꺼내	빨래 꺼내	세탁기에서 빨래를 꺼내요	성인: 세탁기 문을 열었어. 다음에 뭐를 할까? 아동: 세탁기에서 빨래를 꺼내요.

세탁기로 빨래를 하자

세탁기 전원을 켜요

세탁기 문을 열어요

세제통에 세제를 넣어요

세탁기에 빨래를 넣어요

세탁기 문을 닫아요

동작 버튼을 눌러요

빨래가 끝나기를 기다려요

세탁기에서 빨래를 꺼내요

세탁기 문을 열어요

Ⅱ 교육사회 생활

3~4세

- 버스로 등원하기(출발)
- 자동차로 등원하기(도착)
- 소풍 후 등원하기
- 소풍 준비하기
- 어린이집 낮잠 자기
- 어린이집 간식 먹기
- 어린이집 책 읽기
- 색종이 오려 붙이기
- 물감 찍기
- 모래놀이하기
- 생일파티

5~6세

- 유치원 간식 먹기
- 소풍도시락 먹기
- 샌드위치 만들기
- 물감 색칠하기
- 점토 만들기
- 실로폰 연주하기
- 친구와 부엌놀이하기
- 친구들과 미끄럼틀 타기
- 씨앗 심기

버스로 등원하기(출발)

3~4세

핵심 단어 ➤ 유치원버스, 줄, 차례대로, 도착, 출발, 안전벨트, 빈 자리, 줄 서다, 안전벨트(를) 매다, 버스(에) 타

시작 알리기 ➤ 유치원 버스 타고 유치원에 가자

번호	단계	한단어	두단어	다단어 문장	대화
①	줄서기	줄	줄 서	차례대로 줄을 서요	성인: 유치원 버스 정류장이다. 뭐를 할까? 아동: 차례대로 줄을 서요.
②	버스 도착	유치원버스	유치원버스 도착	유치원버스 도착을 기다려요	성인: 차례대로 줄을 섰어. 뭐를 기다릴까? 아동: 유치원 버스 도착을 기다려요.
③	문 열림	문	문 열려	버스 문이 열려요	성인: 유치원 버스가 도착했어. 뭐가 열릴까? 아동: 버스 문이 열려요.
④	선생님 내리기	선생님	선생님 내려	버스에서 선생님이 내려요	성인: 버스 문이 열렸어. 버스에서 누가 내릴까? 아동: 버스에서 선생님이 내려요.
⑤	인사하기	인사	선생님 인사	선생님께 인사를 해요	성인: 버스에서 선생님이 내렸어. 뭐를 할까? 아동: 선생님께 인사를 해요.
⑥	버스 타기	타	버스 타	차례대로 버스에 타요	성인: 선생님께 인사를 했어. 다음에 어떻게 할까? 아동: 차례대로 버스에 타요.
⑦	자리 앉기	앉아	자리 앉아	빈 자리에 앉아요	성인: 차례대로 버스에 탔어. 다음에 뭐를 할까? 아동: 빈 자리에 앉아요.
⑧	벨트 매기	안전벨트	안전벨트 매	의자 안전벨트를 매요	성인: 빈 자리에 앉았어. 다음에 뭐를 할까? 아동: 의자 안전벨트를 매요.
⑨	버스 출발	출발	버스 출발	유치원으로 버스가 출발해요	성인: 의자 안전밸트를 맸어. 버스가 어떻게 할까? 아동: 유치원으로 버스가 출발해요.

유치원 버스 타고 유치원에 가자

차례대로 줄을 서요

유치원버스 도착을 기다려요

버스 문이 열려요

버스에서 선생님이 내려요

선생님께 인사를 해요

차례대로 버스에 타요

빈 자리에 앉아요

유치원으로 버스가 출발해요

의자 안전벨트를 매요

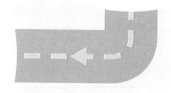

자동차로 등원하기(도착)

3~4세

안전벨트, (안전벨트를) 풀다, 메다, 신발장, 교실

어린이집에 도착했다. 차에서 내려 교실에 들어가자

번호	단계	한단어	두단어	다단어 문장	대화
①	안전벨트 풀기	안전벨트	안전벨트 풀어	카시트 안전벨트를 풀어요	성인: 차에서 내리자. 카시트에서 뭐를 풀까? 아동: 카시트 안전벨트를 풀어요.
②	차문 열기	열어	문 열어	차 문을 열어요	성인: 카시트 안전벨트를 풀었어. 다음에 뭐를 할까? 아동: 차 문을 열어요.
③	차에서 내리기	내려	차 내려	차에서 내려요	성인: 차 문을 열었어. 다음에 뭐를 할까? 아동: 차에서 내려요.
④	차문 닫기	닫아	문 닫아	차 문을 닫아요	성인: 차에서 내렸어. 차문을 어떻게 할까? 아동: 차 문을 닫아요.
⑤	가방 메기	메	가방 메	어깨에 가방을 메요	성인: 어린이집 가방을 어떻게 할까? 아동: 어깨에 가방을 메요.
⑥	인사하기	인사	선생님 인사	선생님께 "안녕하세요"해요/ 인사해요	성인: 선생님을 만났어. 뭐를 해야 할까? 아동: 선생님께 "안녕하세요" 인사해요.
⑦	신발 벗기	신발	신발 벗어	현관에서 신발을 벗어요	성인: 선생님께 "안녕하세요" 인사했어. 이제 현관에서 뭐를 할까? 아동: 현관에서 신발을 벗어요.
⑧	신발 넣기	넣어	신발 넣어	신발장에 신발을 넣어요	성인: 현관에서 신발을 벗었어. 어떻게 할까? 아동: 신발장에 신발을 넣어요.
⑨	교실 들어가기	교실	교실 들어가	교실 안으로 들어가요	성인: 신발을 신발장에 넣었어 이제 뭐를 할까? 아동: 교실 안으로 들어가요.

어린이집에 도착했다.
차에서 내려 교실에 들어가자

카시트 안전벨트를 풀어요

차 문을 열어요

차 문을 닫아요

차에서 내려요

어깨에 가방을 메요

선생님께 "안녕하세요" 해요/
인사해요

현관에서 신발을 벗어요

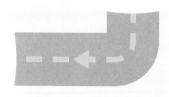

교실 안으로 들어가요

신발장에 신발을 넣어요

소풍 후 등원하기

핵심 단어 겉옷, 복도, 차례대로, 순서대로, 줄(서기), 정리, 옷(을) 걸다

시작 알리기 소풍 후에 유치원에 도착했다. 버스에서 내려 교실로 들어가자.

번호	단계	한단어	두단어	다단어 문장	대화
①	버스에서 내리기	내려	차례대로 내려	버스에서 차례대로 내려요	성인: 버스가 유치원에 도착했어. 다음에 뭐를 할까? 아동: 버스에서 차례대로 내려요.
②	줄서기	줄	줄 서	차례대로 줄을 서요	성인: 버스에서 차례대로 내렸어. 다음에 뭐를 할까? 아동: 차례대로 줄을 서요.
③	신발 벗기	신발	신발 벗어	현관에서 신발을 벗어요	성인: 유치원 현관에 들어갔어. 다음에 뭐를 할까? 아동: 현관에서 신발을 벗어요.
④	신발 정리하기	정리	신발 정리해	신발장에 신발을 정리해요	성인: 현관에서 신발을 벗었어. 어떻게 할까? 아동: 신발장에 신발을 정리해요.
⑤	순서대로 앉기	앉아	순서대로 앉아	복도에 순서대로 앉아요	성인: 신발장에 신발을 정리했어. 복도에서 뭐를 할까? 아동: 복도에 순서대로 앉아요.
⑥	기다리기	기다려	친구 기다려	친구들이 오기를 기다려요	성인: 복도에 순서대로 앉았어. 앉아서 뭐를 할까? 아동: 친구들이 오기를 기다려요.
⑦	교실로 들어가기	교실	교실 들어가	친구들과 교실로 들어가요	성인: 친구들이 모두 왔어. 다음에 뭐를 할까? 아동: 친구들과 교실로 들어가요.
⑧	겉옷 걸기	겉옷	겉옷 걸어	옷걸이에 겉옷을 걸어요	성인: 교실에 들어갔어. 옷걸이에 뭐를 걸까? 아동: 옷걸이에 겉옷을 걸어요.
⑨	손 씻기	씻어	손 씻어	세면대에서 손을 씻어요	성인: 옷을 정리했어. 세면대로 가서 뭐를 할까? 아동: 세면대에서 손을 씻어요.

69

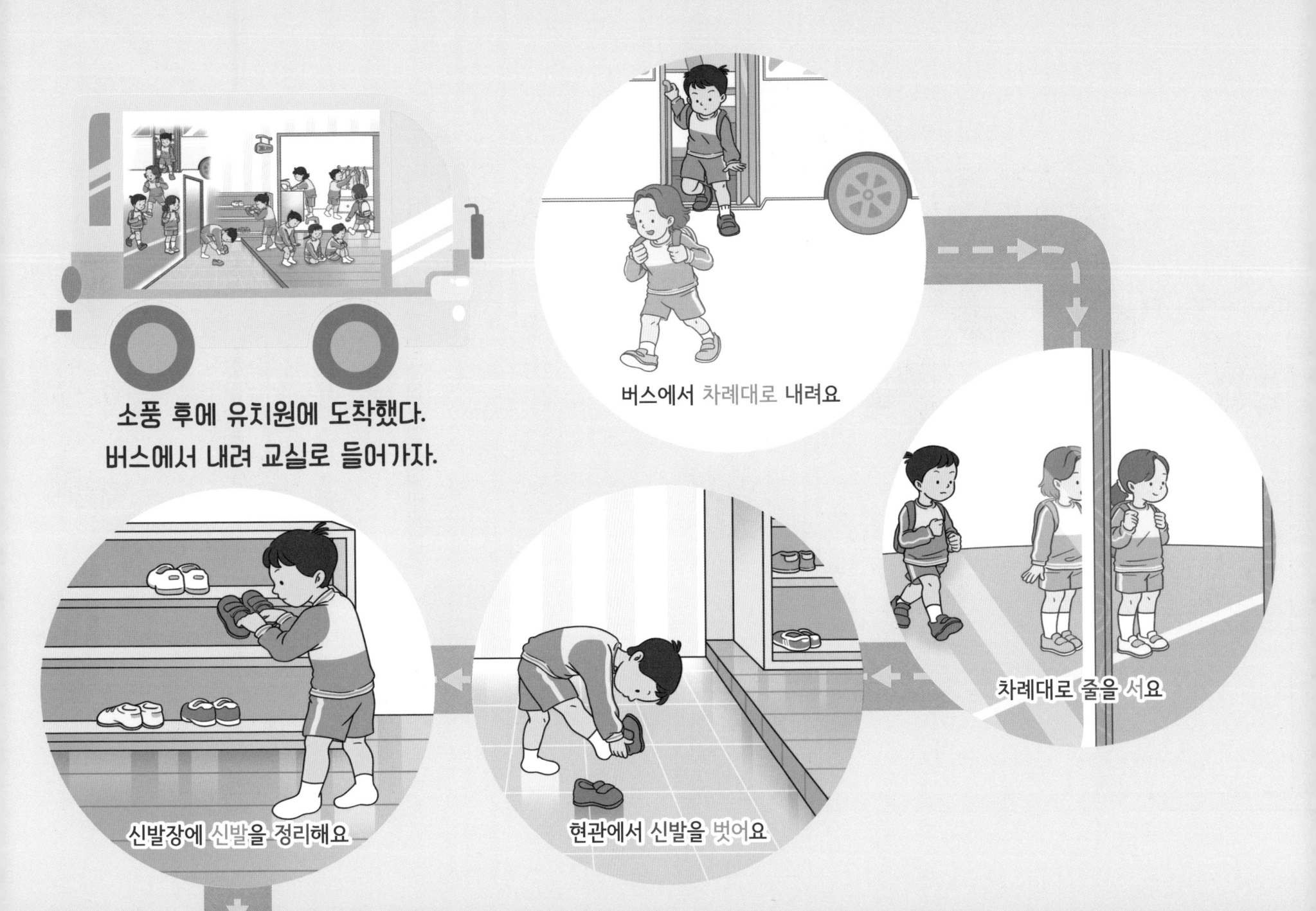

소풍 후에 유치원에 도착했다.
버스에서 내려 교실로 들어가자.

버스에서 차례대로 내려요

차례대로 줄을 서요

신발장에 신발을 정리해요

현관에서 신발을 벗어요

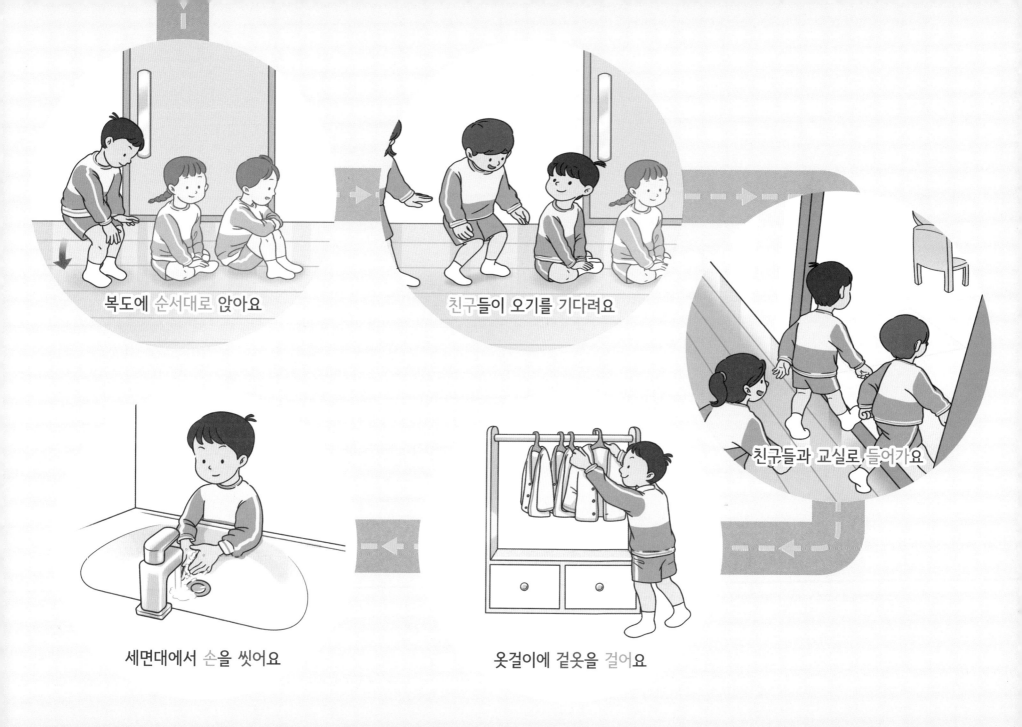

복도에 순서대로 앉아요

친구들이 오기를 기다려요

친구들과 교실로 들어가요

세면대에서 손을 씻어요

옷걸이에 겉옷을 걸어요

소풍 준비하기

핵심 단어 ⤙⤚ 소풍, 알림장, 준비물, 도시락, 돗자리, 가방(을) 메다, 모자(를) 쓰다

시작 알리기 ⤙⤚ 어린이집 소풍 준비를 하자

번호	단계	한단어	두단어	다단어 문장	대화
①	가방 가져오기	가방	가방 가져와	어린이집 가방을 가져와요	성인: 먼저 뭐를 가져올까? 아동: 어린이집 가방을 가져와요.
②	가방 열기	열어	가방 열어	가방 지퍼를 열어요	성인: 어린이집 가방을 가져왔어. 다음에 어떻게 할까? 아동: 가방 지퍼를 열어요.
③	알림장 꺼내기	알림장	알림장 꺼내	가방에서 알림장을 꺼내요	성인: 가방 지퍼를 열었어 다음에 뭐를 꺼낼까? 아동: 가방에서 알림장을 꺼내요.
④	준비물 확인하기	준비물	소풍 준비물	소풍 준비물을 확인해요	성인: 알림장을 가방에서 꺼냈어. 다음에 뭐를 확인할까? 아동: 소풍 준비물을 확인해요.
⑤	도시락 넣기	도시락	도시락 넣어	가방에 도시락을 넣어요	성인: 소풍 준비물을 확인했어. 점심 먹으려면 가방에 뭐를 넣을까? 아동: 가방에 도시락을 넣어요.
⑥	돗자리 넣기	돗자리	돗자리 넣어	가방에 돗자리를 넣어요	성인: 가방에 도시락을 넣었어. 깔고 앉으려면 뭐를 넣을까? 아동: 가방에 돗자리를 넣어요.
⑦	가방 닫기	닫아	가방 닫아	가방 지퍼를 닫아요	성인: 가방에 다 넣었다. 이제 어떻게 할까? 아동: 가방 지퍼를 닫아요.
⑧	가방 메기	메	가방 메	어깨에 가방을 메요	성인: 가방 지퍼를 닫았어. 다음에 가방을 어떻게 할까? 아동: 가방을 어깨에 메요.
⑨	모자 쓰기	모자	모자 써	머리에 모자를 써요	성인: 가방을 어깨에 멨어. 머리에 뭐를 쓸까? 아동: 머리에 모자를 써요.

어린이집 소풍 준비를 하자

어린이집 가방을 가져와요

가방 지퍼를 열어요

소풍 준비물을 확인해요

가방에서 알림장을 꺼내요

가방에 도시락을 넣어요

가방에 돗자리를 넣어요

가방 지퍼를 닫아요

머리에 모자를 써요

어깨에 가방을 메요

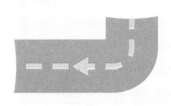

어린이집 낮잠 자기

3~4세

번호	단계	한단어	두단어	다단어 문장	대화
①	이불 가져오기	이불	이불 가져와	자기 이불을 가져와요	성인: 낮잠 시간이야. 뭐를 가지고 올까? 아동: 자기 이불을 가져와요.
②	이불 펴기	펴	이불 펴	바닥에 이불을 펴요	성인: 자기 이불을 가져왔어. 다음에 어떻게 할까? 아동: 바닥에 이불을 펴요.
③	베개 놓기	베개	베개 놓아	이불에 베개를 놓아요	성인: 이불을 바닥에 폈어. 이불위에 뭐를 놓을까? 아동: 베개를 이불에 놓아요.
④	이불에 눕기	누워	이불 누워	이불 위에 누워요	성인: 베개를 이불에 놓았어. 다음에 뭐를 할까? 아동: 이불 위에 누워요.
⑤	이불 덮기	덮어	이불 덮어	몸에 이불을 덮어요	성인: 이불 위에 누웠어. 다음에 뭐를 할까? 아동: 몸에 이불을 덮어요.
⑥	낮잠 자기	자	잠 자	눈감고 잠을 자요	성인: 몸에 이불을 덮었어. 눈감고 뭐를 할까? 아동: 눈감고 잠을 자요.
⑦	일어나기	일어나	벌떡 일어나	자리에서 벌떡 일어나요	성인: 낮잠을 다 잤다. 이제 어떻게 할까? 아동: 자리에서 벌떡 일어나요.
⑧	이불 접기(개기)	접어/개	이불 접어/개	자기 이불을 접어요/개요	성인: 자리에서 벌떡 일어났어. 이제 어떻게 할까? 아동: 자기 이불을 접어요/개요.
⑨	이불 정리하기	정리해	이불 정리해	제자리에 이불을 정리해요	성인: 자기 이불을 다 접었어/갰어. 이제 어떻게 할까? 아동: 제자리에 이불을 정리해요.

어린이집 낮잠시간이다. 낮잠 자자

자기 이불을 가져와요

바닥에 이불을 펴요

이불 위에 누워요

이불에 베개를 놓아요

몸에 이불을 덮어요

눈감고 잠을 자요

자리에서 벌떡 일어나요

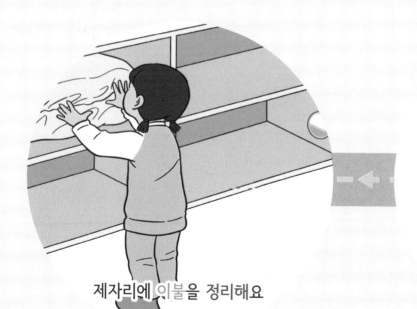

제자리에 이불을 정리해요

자기 이불을 접어요/개요

어린이집 간식 먹기

3~4세

핵심 단어	간식(차), 세면대, 물양치, 그릇, 치우다, 자기 자리, 차례 기다리기
시작 알리기	어린이집에서 간식을 먹자

번호	단계	한단어	두단어	다단어 문장	대화
①	손씻기	손	손 씻어	세면대에서 손을 씻어요	성인: 간식을 먹자. 먼저 뭐를 해야 할까? 아동: 세면대에서 손을 씻어요.
②	그릇 가져오기	그릇	그릇 가져와	간식차에서 그릇을 가져와요	성인: 손을 씻었어. 간식차에서 뭐를 가져올까? 아동: 간식차에서 그릇을 가져와요.
③	자기 자리 앉기	자리	자기 자리	자기 자리에 앉아요	성인: 간식차에서 그릇을 가져 왔어. 어디에 앉을까? 아동: 자기 자리에 앉아요.
④	차례 기다리기	기다려	차례 기다려	조용히 차례를 기다려요	성인: 자기 자기에 앉았어. 다음에 조용히 뭐를 할까? 아동: 조용히 차례를 기다려요.
⑤	간식 받기	간식	간식 받아	그릇에 간식을 받아요	성인: 내 차례가 되었어. 그릇에 뭐를 받을까? 아동: 그릇에 간식을 받아요.
⑥	감사 인사하기	인사	감사 인사	다같이 감사 인사를 해요	성인: 간식을 그릇에 받았어. 먹기 전에 다같이 뭐를 할까? 아동: 다같이 감사 인사를 해요.
⑦	간식 먹기	먹어	간식 먹어	포크로 간식을 먹어요	성인: 감사 인사를 했어. 이제 뭐를 할까? 아동: 포크로 간식을 먹어요.
⑧	그릇 치우기	치워	그릇 치워	책상에서 그릇을 치워요	성인: 간식을 다 먹었어. 이제 어떻게 할까? 아동: 책상에서 그릇을 치워요.
⑨	물양치 하기	물양치	물양치 해	컵으로 물양치를 해요	성인: 책상에서 그릇을 다 치웠다, 화장실에서 양치컵으로 뭐를 할까? 아동: 컵으로 물양치를 해요.

어린이집에서 간식을 먹자

세면대에서 손을 씻어요

간식차에서 그릇을 가져와요

조용히 차례를 기다려요

자기 자리에 앉아요

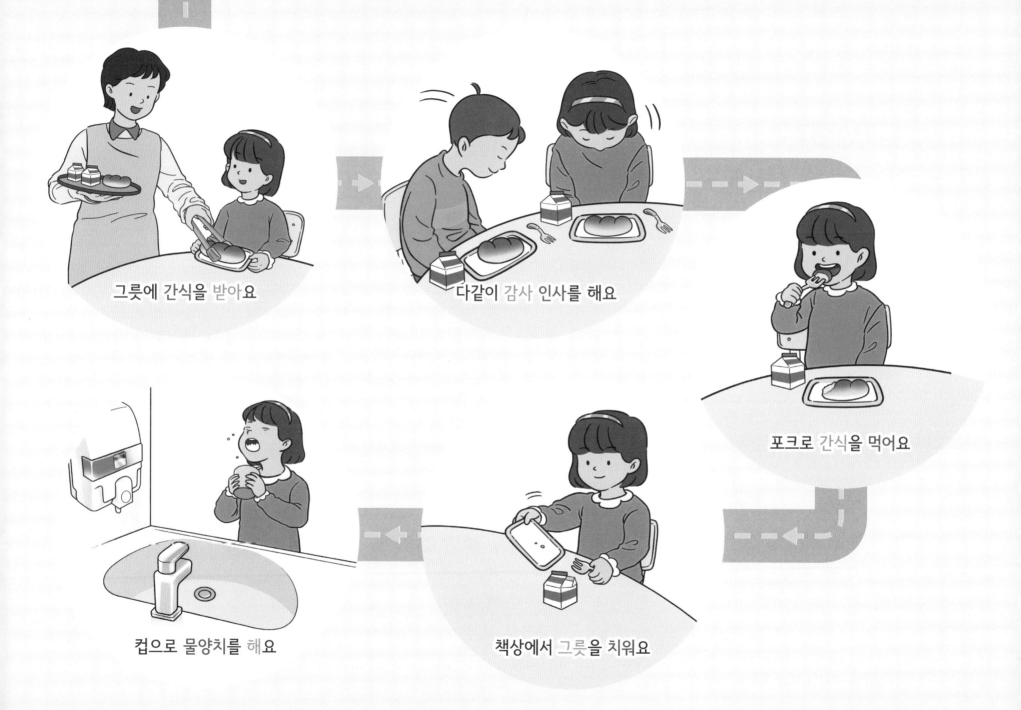

그릇에 간식을 받아요

다같이 감사 인사를 해요

포크로 간식을 먹어요

컵으로 물양치를 해요

책상에서 그릇을 치워요

어린이집 책 읽기

3~4세

언어영역, 자기 자리, 다같이, 고르다, 꺼내다, (책을) 펴다, 이야기하다

시작 알리기 · 어린이집에서 우리 선생님이랑 그림책을 읽자

번호	단계	한단어	두단어	다단어 문장	대화
①	언어영역으로 가기	언어영역	언어영역 가	언어영역 책꽂이로 가요	성인: 그림책을 보려면 어디로 갈까? 아동: 언어영역 책꽂이로 가요.
②	그림책 고르기	그림책	그림책 골라	책꽂이에서 그림책을 골라요	성인: 언어영역으로 갔어. 다음에 뭐를 할까? 아동: 책꽂이에서 그림책을 골라요.
③	그림책 꺼내기	꺼내	그림책 꺼내	책꽂이에서 그림책을 꺼내요	성인: 책꽂이에서 그림책을 골랐어. 어떻게 할까? 아동: 책꽂이에서 그림책을 꺼내요.
④	선생님께 그림책 주기	선생님	선생님 줘	그림책을 선생님께 줘요	성인: 책꽂이에서 그림책을 꺼냈어. 그림책을 어떻게 할까? 아동: 그림책을 선생님께 줘요.
⑤	자기 자리 앉기	자리	자기 자리	자기 자리에 앉아요	성인: 선생님께 그림책을 줬어. 다음에 어떻게 할까? 아동: 자기 자리에 앉아요.
⑥	그림책 펴기	펴	그림책 펴	손으로 그림책을 펴요	성인: 자기 자리에 앉았어. 선생님이 그림책을 어떻게 할까? 아동: 손으로 그림책을 펴요.
⑦	그림책 보기	봐	그림책 봐	다같이 그림책을 봐요	성인: 선생님이 그림책을 폈어. 우리는 어떻게 해야 할까? 아동: 다같이 그림책을 봐요.
⑧	그림책 읽기	읽어	그림책 읽어	선생님이 그림책을 읽어요	성인: 친구들이 그림책을 보고 있어요. 선생님이 뭐를 할까? 아동: 선생님이 그림책을 읽어요.
⑨	그림책 이야기하기	이야기해	그림책 이야기해	다같이 그림책 이야기를 해요	성인: 선생님이 그림책을 다 읽었어. 다같이 뭐를 해야 할까? 아동: 선생님이랑 다같이 그림책 이야기를 해요.

어린이집에서
우리 선생님이랑 그림책을 읽자

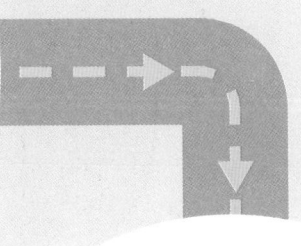

언어영역 책꽂이로 가요

책꽂이에서 그림책을 골라요

그림책을 선생님께 줘요

책꽂이에서 그림책을 꺼내요

자기 자리에 앉아요

손으로 그림책을 펴요

다같이 그림책을 봐요

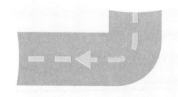

다같이 그림책 이야기를 해요

선생님이 그림책을 읽어요

색종이 오려 붙이기

3~4세

: 재료, 가위, 색종이, 풀, 풀칠, 오리다, 붙이다, 손가락(을) 끼우다

: 가위로 색종이를 오려 붙이자 (준비물/재료: 가위, 색종이, 풀, 도화지)

번호	단계	한단어	두단어	다단어 문장	대화
①	재료/재료꺼내기	재료	재료 꺼내	책상에 재료를 꺼내요	성인: 먼저 뭐를 해야 할까? 아동: 책상에 재료를 꺼내요.
②	가위 들기	가위	가위 들어	손으로 가위를 들어요	성인: 책상에 재료를 꺼냈어. 다음에 뭐를 들까? 아동: 가위를 손으로 들어요.
③	손가락 끼우기	껴	손가락 껴	가위구멍에 손가락을 끼워요	성인: 가위를 손으로 들었어. 다음에 어떻게 할까? 아동: 가위구멍에 손가락을 껴요.
④	색종이 들기	색종이	색종이 들어	손으로 색종이를 들어요	성인: 가위구멍에 손가락을 끼웠어. 다른 손으로 뭐를 해야 할까? 아동: 손으로 색종이를 들어요.
⑤	색종이 오리기	오려	색종이 오려	가위로 색종이를 오려요	성인: 색종이를 손으로 들었어. 이제 뭐를 할까? 아동: 가위로 색종이를 오려요.
⑥	가위 내려놓기	내려놔	가위 내려놔	책상에 가위를 내려놔요	성인: 색종이를 가위로 다 오렸어. 가위를 어떻게 할까? 아동: 책상에 가위를 내려놔요.
⑦	풀 뚜껑 열기	풀	풀 열어	풀 뚜껑을 열어요	성인: 이제 오린 색종이를 붙이자. 먼저 뭐를 할까? 아동: 풀 뚜껑을 열어요.
⑧	색종이 풀칠하기	풀칠	색종이 풀칠	색종이에 풀칠을 해요	성인: 풀 뚜껑을 열었어. 다음에 뭐를 할까? 아동: 색종이에 풀칠을 해요.
⑨	색종이 붙이기	붙여	색종이 붙여	도화지에 색종이를 붙여요	성인: 색종이 뒤에 풀칠했어. 다음에 어떻게 할까? 아동: 도화지에 색종이를 붙여요.

가위로 색종이를 오려 붙이자

책상에 재료를 꺼내요

손으로 가위를 들어요

손으로 색종이를 들어요

가위구멍에 손가락을 끼워요

가위로 색종이를 오려요

책상에 가위를 내려놔요

풀 뚜껑을 열어요

도화지에 색종이를 붙여요

색종이에 풀칠을 해요

물감 찍기

핵심 단어	도화지, 스펀지, 물감, 건조대, 작품, 묻히다, 걸다, 살펴보다, 다같이/모두
시작 알리기	유치원에서 스펀지로 물감 찍기 활동을 하자 (준비물/재료: 물고기 그림, 도화지(종이), 스펀지, 물감, 물통, 건조대)

번호	단계	한단어	두단어	다단어 문장	대화
①	물고기 그림보기	물고기	물고기 그림	물고기 그림을 봐요	성인: 물고기그림을 들고 있어. 뭐를 해야 할까? 아동: 물고기 그림을 봐요.
②	도화지 놓기	도화지	도화지 놓아	자기 앞에 도화지를 놓아요	성인: 물고기 그림을 봤어. 도화지를 어떻게 해야 할까? 아동: 자기 앞에 도화지를 놓아요.
③	스펀지 만져보기	스펀지	스펀지 만져	손으로 스펀지를 만져봐요	성인: 도화지를 자기 앞에 놓았어. 이제 뭐를 만져볼까? 아동: 손으로 스펀지를 만져봐요.
④	물감 고르기	물감	물감 골라	통에서 물감을 골라요	성인: 스펀지를 손으로 만졌어. 다음에 뭐를 할까? 아동: 통에서 물감을 골라요.
⑤	물감 짜기	짜	물감 짜	팔레트에 물감을 짜요	성인: 통에서 물감을 골랐어. 다음에 뭐를 할까? 아동: 팔레트에 물감을 짜요.
⑥	물감 묻히기	묻혀	물감 묻혀	스펀지에 물감을 묻혀요	성인: 팔레트에 물감을 짰어. 다음에 뭐를 할까? 아동: 스펀지로 물감을 묻혀요.
⑦	스펀지 찍기	찍어	스펀지 찍어	종이에 스펀지로 찍어요	성인: 스펀지에 물감을 묻혔어. 다음에 뭐를 할까? 아동: 종이에 스펀지로 찍어요.
⑧	건조대에 걸기	걸어	작품 걸어	건조대에 작품을 걸어요	성인: 작품이 완성되었어. 완성된 작품을 어디에 걸까? 아동: 작품을 건조대에 걸어요.
⑨	감상하기	작품	작품 감상	다같이 작품을 감상해요	성인: 작품을 건조대에 걸었어. 이제 다같이/모두 뭐 할까? 아동: 다같이 작품을 감상해요.

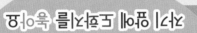
손바닥에 물감을 묻혀요

손으로 그림을 만져봐요

종이에 물감을 골라요

유치원에서 물감놀이 활동을 하고 있어요

물감으로 그려 보아요

팔레트에 물감을 짜요

스펀지에 물감을 묻혀요

종이에 스펀지로 찍어요

다같이/모두 작품을 감상해요

건조대에 작품을 걸어요

모래놀이하기

핵심 단어 : 모래, 모래성, 삽, 둘러 앉다, 푸다, 담다, 두드리다, 뒤집다, 손(을) 털다, 통(을) 빼다

시작 알리기 : 친구들과 모래성 모양을 만들자

번호	단계	한단어	두단어	다단어 문장	대화
①	모래놀이터 가기	모래놀이터	모래놀이터 가	친구들과 모래놀이터에 가요	성인: 친구들과 어디에 갈까? 아동: 친구들과 모래놀이터에 가요.
②	친구들과 앉기	앉아	친구들이랑 앉아	친구들이랑 둘러 앉아요	성인: 친구들과 모래놀이터에 갔어. 어떻게 할까? 아동: 친구들이랑 둘러 앉아요.
③	모래 푸기	모래	모래 퍼	삽으로 모래를 퍼요	성인: 친구들이랑 둘러 앉았어. 다음에 삽으로 뭐를 할까? 아동: 삽으로 모래를 퍼요.
④	모래 담기	담아	모래 담아	통에 모래를 담아요	성인: 삽으로 모래를 펐어. 어떻게 할까? 아동: 통에 모래를 담아요.
⑤	모래 두드리기	두드려	모래 두드려	손으로 모래를 두드려요	성인: 통에 모래를 담았어. 다음에 어떻게 할까? 아동: 손으로 모래를 두드려요.
⑥	통 뒤집기	뒤집어	통 뒤집어	바닥에 통을 뒤집어요	성인: 모래를 손으로 두드렸어. 다음에 어떻게 할까? 아동: 바닥에 통을 뒤집어요.
⑦	통 빼기	빼	통 빼	위로 통을 빼요	성인: 통을 바닥에 뒤집었어. 다음에 어떻게 할까? 아동: 위로 통을 빼요.
⑧	모래성 모양 만들기	모래성	모래성 만들어	모래성 모양을 만들어요	성인: 통을 위로 뺐어. 다음에 어떻게 할까? 아동: 모래성 모양을 만들어요.
⑨	손 털기	털어	손 털어	깨끗이 손을 털어요	성인: 모래성을 다 만들었어. 손에 모래가 묻었네, 어떻게 할까? 아동: 깨끗이 손을 털어요.

친구들과 모래성 모양을 만들자

친구들과 모래놀이터에 가요

친구들이랑 둘러 앉아요

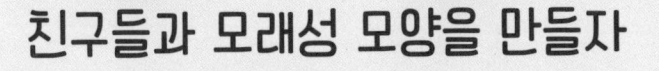

삽으로 모래를 퍼요

통에 모래를 담아요

손으로 모래를 두드려요

바닥에 통을 뒤집어요

위로 통을 빼요

모래성 모양을 만들어요

깨끗이 손을 털어요

생일파티

3~4세

핵심 단어 : 생일(축하), 선물, 다같이(모두), (포장)뜯다, 사진 찍다

시작 알리기 : 유치원에서 친구들과 생일파티를 하자

번호	단계	한단어	두단어	다단어 문장	대화
①	케이크에 초 꽃기	초	초 꽃아	케이크에 초를 꽃아요	성인: 생일 케이크에 뭐를 꽃을까? 아동: 생일 케이크에 초를 꽃아요.
②	초에 불 붙이기	불	불 붙여	초에 불을 붙여요	성인: 생일 케이크에 초를 꽃았다. 다음에 뭐를 할까? 아동: 초에 불을 붙여요.
③	생일 노래	노래	생일축하 노래해	다같이 생일축하 노래해요	성인: 초에 불을 붙였어. 다음에 뭐를 할까? 아동: 다같이/모두 생일축하 노래해요.
④	초 끄기	꺼	촛불 꺼	입으로 촛불을 꺼요	성인: 생일축하 노래를 불렀어. 다음에 뭐를 할까? 아동: 입으로 촛불을 꺼요.
⑤	박수치기	박수	박수 쳐	생일축하 박수를 쳐요	성인: 입으로 촛불을 껐어. 다음에 뭐를 할까? 아동: 생일축하 박수를 쳐요.
⑥	케이크 자르기	잘라	케이크 잘라	칼로 케이크를 잘라요	성인: 생일축하 박수를 쳤어. 이제 케이크를 어떻게 할까? 아동: 칼로 케이크를 잘라요.
⑦	생일선물 주기	선물	선물 줘	친구한테 생일선물을 줘요	성인: 칼로 케이크를 잘랐어. 생일인 친구한테 뭐를 줄까? 아동: 친구한테 생일선물을 줘요.
⑧	생일선물 열어보기	열어	선물 열어봐	생일 선물을 열어봐요	성인: 친구한테 생일선물을 받았어. 생일 선물을 어떻게 할까? 아동: 생일 선물을 열어봐요.
⑨	사진 찍기	사진	사진 찍어	핸드폰으로 사진을 찍어요	성인: 생일파티가 끝났어. 다같이 모여서 뭐를 할까? 아동: 핸드폰으로 사진을 찍어요.

혼자 촛불 끄기

다른 친구들이 끄게 해봐요

입으로 촛불 꺼요

케이크에 촛불 켜요

유치원에서
친구들과 생일파티를 하기

생일축하 박수를 쳐요

칼로 케이크를 잘라요

친구한테 생일선물을 줘요

핸드폰으로 사진을 찍어요

생일 선물을 열어봐요

유치원 간식 먹기

핵심 단어	간식, 도우미, 줄(서기), 물양치, 자기 자리, 차례대로, 기다리다, 치우다
시작 알리기	유치원에서 다같이 간식 먹자

번호	단계	한단어	두단어	다단어 문장	대화
①	손 씻기	손	손 씻어	세면대에서 손을 씻어요	성인: 간식을 먹기 전에 먼저 뭐를 해야할까? 아동: 세면대에서 손을 씻어요.
②	줄서기	줄	줄 서	차례대로 줄을 서요	성인: 세면대에서 손을 씻었어. 다음에 뭐를 할까? 아동: 차례대로 줄을 서요.
③	간식 나눠주기	간식	간식 받아	도우미에게 간식을 받아요	성인: 차례대로 줄을 섰어. 다음에 뭐를 할까? 아동: 도우미에게 간식을 받아요.
④	자리 앉기	앉아	자리 앉아	자기 자리에 앉아요	성인: 도우미에게 간식을 받았어. 다음에 뭐를 할까? 아동: 자기 자리에 앉아요.
⑤	기다리기	기다려	친구들 기다려	친구들이 앉기를 기다려요	성인: 자기 자리에 앉았어. 다음에 뭐를 할까? 아동: 친구들이 앉기를 기다려요.
⑥	간식 먹기	먹어	간식 먹어	조용히 간식을 먹어요	성인: 친구들이 다 앉았어. 다음에 뭐를 할까? 아동: 조용히 간식을 먹어요.
⑦	간식 정리하기	치워	그릇 치워	책상에서 그릇을 치워요	성인: 간식을 다 먹었어. 다음에 뭐를 할까? 아동: 책상에서 그릇을 치워요.
⑧	책상 자리 닦기	닦아	책상 닦아	휴지로 책상을 닦아요	성인: 책상에서 그릇을 치웠어. 책상을 어떻게 할까? 아동: 책상을 휴지로 닦아요.
⑨	물양치 하기	물양치	물양치 해	컵으로 물양치를 해요	성인: 책상을 휴지로 닦았다. 이제 화장실에서 뭐를 할까? 아동: 컵으로 물양치를 해요.

유치원에서 다같이 간식 먹자

세면대에서 손을 씻어요

차례대로 줄을 서요

도우미에게 간식을 받아요

자기 자리에 앉아요

친구들이 앉기를 기다려요

조용히 간식을 먹어요

책상에서 그릇을 치워요

컵으로 물양치를 해요

휴지로 책상을 닦아요

소풍도시락 먹기

핵심 단어 : 소풍, 도시락, 도시락통, 돗자리, 음료수, 바닥, ~위(에), (~을) 펴다, 꺼내다, 정리하다

시작 알리기 : 소풍 가서 도시락을 먹자

번호	단계	한단어	두단어	다단어 문장	대화
①	돗자리 펴기	돗자리	돗자리 펴	바닥에 돗자리를 펴요	성인: 도시락을 먹자. 바닥에 뭐를 펴야 할까? 아동: 바닥에 돗자리를 펴요.
②	자리 앉기	앉아	돗자리 앉아	돗자리 위에 앉아요	성인: 바닥에 돗자리를 폈어. 다음에 뭐를 할까? 아동: 돗자리 위에 앉아요.
③	도시락 꺼내기	도시락	도시락 꺼내	가방에서 도시락을 꺼내요	성인: 돗자리 위에 앉았어. 가방에서 뭐를 꺼낼까? 아동: 가방에서 도시락을 꺼내요.
④	뚜껑 열기	열어	뚜껑 열어	도시락 뚜껑을 열어요	성인: 가방에서 도시락을 꺼냈어. 다음에 어떻게 할까? 아동: 도시락 뚜껑을 열어요.
⑤	김밥 먹기	먹어	김밥 먹어	포크로 김밥을 먹어요	성인: 도시락 뚜껑을 열었어. 다음에 뭐를 할까? 아동: 포크로 김밥을 먹어요.
⑥	음료수 마시기	음료수/물	음료수/물 마셔	입으로 음료수(물)를 마셔요	성인: 포크로 김밥을 먹었어. 다음에 뭐를 마실까? 아동: 입으로 음료수(물)를 마셔요.
⑦	도시락 뚜껑 닫기	닫아	뚜껑 닫아	도시락 뚜껑을 닫아요	성인: 도시락을 다 먹었어. 어떻게 할까? 아동: 도시락 뚜껑을 닫아요.
⑧	도시락통 넣기	넣어	도시락통 넣어	가방에 도시락통을 넣어요	성인: 도시락 뚜껑을 닫았어. 이제 어떻게 할까? 아동: 가방에 도시락통을 넣어요.
⑨	자리 정리하기	정리해	자리 정리해	자기 자리를 정리해요	성인: 가방에 도시락통을 넣었어. 다음에 뭐를 할까? 아동: 자기 자리를 정리해요.

소풍 가서 도시락을 먹자

바닥에 돗자리를 펴요

돗자리 위에 앉아요

도시락 뚜껑을 열어요

가방에서 도시락을 꺼내요

포크로 김밥을 먹어요

입으로 음료수(물)를 마셔요

도시락 뚜껑을 닫아요

자기 자리를 정리해요

가방에 도시락통을 넣어요

샌드위치 만들기

핵심 단어 : 샌드위치, 재료, 버터, (~를) 바르다, (~로) 덮다

시작 알리기 : 햄치즈 샌드위치를 만들자 (준비물: 햄, 치즈, 빵, 버터, 칼, 접시, 포크)

번호	단계	한단어	두단어	다단어 문장	대화
①	재료 준비하기	재료	재료 준비해	샌드위치 재료를 준비해요	성인: 햄치즈 샌드위치를 만들자. 뭐를 준비할까? 아동: 샌드위치 재료를 준비해요.
②	빵 꺼내기	빵	빵 꺼내	봉투에서 빵을 꺼내요	성인: 샌드위치 재료를 준비했어, 제일 먼저 뭐를 꺼낼까? 아동: 봉투에서 빵을 꺼내요.
③	버터 바르기	버터	버터 발라	빵에 버터를 발라요	성인: 봉투에서 빵을 꺼냈어. 이제 빵에 뭐를 바를까? 아동: 빵에 버터를 발라요.
④	햄 올리기	햄	햄 올려	빵에 햄을 올려요	성인: 빵에 버터를 발랐어. 이제 빵에 뭐를 올릴까? 아동: 빵에 햄을 올려요.
⑤	치즈 올리기	치즈	치즈 올려	햄 위에 치즈를 올려요	성인: 빵에 햄을 올렸어. 이제 햄 위에 뭐를 올릴까? 아동: 햄 위에 치즈를 올려요.
⑥	빵 덮기	빵	빵 덮어	다른 빵으로 덮어요	성인: 햄 위에 치즈를 올렸어. 다음에 어떻게 할까? 아동: 다른 빵으로 덮어요.
⑦	칼로 자르기	잘라	칼로 잘라	샌드위치를 칼로 잘라요	성인: 다른빵으로 덮었어. 샌드위치가 완성되었네. 이제칼로 뭐를할까? 아동: 샌드위치를 칼로 잘라요.
⑧	접시에 놓기	접시	접시에 놓아	샌드위치를 접시에 놓아요	성인: 샌드위치를 칼로 잘랐어. 샌드위치를 어디에 놓을까? 아동: 샌드위치를 접시에 놓아요.
⑨	샌드위치 먹기	먹어	샌드위치 먹어	포크로 샌드위치를 먹어요	성인: 샌드위치를 접시에 놓았어. 다음에 어떻게 할까? 아동: 포크로 샌드위치를 먹어요.

113

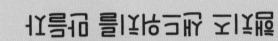

햄 위에 치즈를 올려요

다른 빵으로 덮어요

샌드위치를 칼로 잘라요

포크로·샌드위치를·먹어요

샌드위치를 접시에 놓아요

물감 색칠하기

5~6세

번호	단계	한단어	두단어	다단어 문장	대화
①	**물감세트 가져오기**	물감세트	물감세트 가져와	책상으로 물감세트를 가져와요	성인: 책상으로 뭐를 가져와야 할까? 아동: 책상으로 물감세트를 가져와요.
②	**스케치북 펴기**	스케치북	스케치북 펴	책상에 스케치북을 펴요	성인: 물감세트를 책상으로 가져왔어. 책상에 뭐를 펴야 할까? 아동: 책상에 스케치북을 펴요.
③	**밑그림 그리기**	밑그림	밑그림 그려	연필로 밑그림을 그려요	성인: 책상에 스케치북를 펴었어. 색칠하기 전에 연필로 뭐를 할까? 아동: 연필로 밑그림을 그려요.
④	**팔레트 펴기**	팔레트	팔레트 펴	책상에 팔레트를 펴요	성인: 연필로 밑그림을 그렸어. 이제 책상에 뭐를 펼까? 아동: 책상에 팔레트를 펴요.
⑤	**물감 짜기**	물감	물감 짜	팔레트에 물감을 짜요	성인: 책상에 팔레트를 펴었어. 다음에 뭐를 할까? 아동: 팔레트에 물감을 짜요.
⑥	**물감 묻히기**	묻혀	물감 묻혀	붓에 물감을 묻혀요	성인: 물감을 팔레트에 짰어. 다음에 뭐를 할까? 아동: 물감을 붓에 묻혀요.
⑦	**그림 색칠하기**	색칠해	그림 색칠해	붓으로 그림을 색칠해요	성인: 물감을 붓에 묻혔어. 이제 뭐를 할까? 아동: 붓으로 그림을 색칠해요.
⑧	**붓 헹구기**	헹궈	붓 헹궈	물통에 붓을 행궈요	성인: 그림을 붓으로 다 색칠했어. 붓을 어떻게 할까? 아동: 물통에 붓을 행궈요.
⑨	**그림 말리기**	말려	그림 말려	완성한 그림을 말려요	성인: 그림을 완성했어. 다 완성한 그림을 어떻게 할까? 아동: 완성한 그림을 말려요.

유치원에서
물감으로 색칠활동을 하자

책상으로 물감세트를 가져와요

책상에 스케치북을 펴요

책상에 팔레트를 펴요

연필로 밑그림을 그려요

팔레트에 물감을 짜요

붓에 물감을 묻혀요

붓으로 그림을 색칠해요

완성한 그림을 말려요

물통에 붓을 행궈요

점토 만들기

5~6세

점토, 점토판, 모양, 뜯다, 주무르다, 말리다, 치우다

시작 알리기 **점토로 접시를 만들자** (준비물: 점토, 점토판)

번호	단계	한단어	두단어	다단어 문장	대화
①	점토판 깔기	점토판	점토판 깔아	책상에 점토판을 깔아요	성인: 먼저 책상에 무엇을 깔까? 아동: 점토판을 책상 위에 깔아요.
②	점토 놓기	점토	점토 놓아	점토판에 점토를 놓아요	성인: 점토판을 책상 위에 깔았어. 이제 뭐를 꺼내 놓을까? 아동: 점토판에 점토를 놓아요.
③	점토봉투 뜯기	뜯어	봉투 뜯어	점토 봉투를 뜯어요	성인: 점토를 점토판에 놓았어. 점토 봉투를 어떻게 할까? 아동: 점토 봉투를 뜯어요.
④	점토 주무르기	주물러	점토 주물러	손으로 점토를 주물러요	성인: 점토 봉투를 뜯었어. 이제 점토를 어떻게 할까? 아동: 점토를 손으로 주물러요.
⑤	접시 모양 생각하기	모양	접시 모양	접시 모양을 생각해요	성인: 점토로 접시를 만들자. 먼저 뭐를 생각할까? 아동: 접시 모양을 생각해요.
⑥	접시 모양 만들기	만들어	접시 만들어	접시 모양을 만들어요	성인: 접시 모양을 생각했어. 이제 뭐를 할까? 아동: 접시 모양을 만들어요.
⑦	점토 말리기	말려	점토 말려	책상에서 점토를 말려요	성인: 점토로 접시 모양을 만들었어. 이제 어떻게 할까? 아동: 책상에서 점토를 말려요.
⑧	책상 닦기	닦아	책상 닦아	휴지로 책상을 닦아요	성인: 점토 놀이를 다 했어. 이제 뭐를 할까? 아동: 휴지로 책상을 닦아요.
⑨	손 씻기	씻어	손 씻어	화장실에서 손을 씻어요	성인: 책상 위도 다 닦았어. 이제 뭐를 해야 할까? 아동: 화장실에서 손을 씻어요.

점토로 접시를 만들자

책상에 점토판을 깔아요

점토판에 점토를 놓아요

점토 봉투를 뜯어요

손으로 점토를 주물러요

접시 모양을 생각해요

접시 모양을 만들어요

책상에서 점토를 말려요

화장실에서 손을 씻어요

휴지로 책상을 닦아요

실로폰 연주하기

핵심 단어	음율영역, 악기장, 실로폰, 실로폰채, 꺼내다, 연주(하다), 들다

시작 알리기	유치원에서 실로폰을 연주해보자 (준비물: 실로폰가방, 실로폰, 실로폰채)

번호	단계	한단어	두단어	다단어 문장	대화
①	음율 영역 가기	음율영역	음율영역 가	음율영역 악기장으로 가요	성인: 유치원에서 실로폰을 연주해. 어디로 가야할까? 아동: 음율영역 악기장으로 가요.
②	실로폰 들기	들어	실로폰 들어	두손으로 실로폰을 들어요	성인: 음율영역 악기장으로 왔어. 이제 어떻게 할까? 아동: 두손으로 실로폰을 들어요.
③	실로폰 가져오기	실로폰	실로폰 가져와	악기장에서 실로폰을 가져와요	성인: 두손으로 실로폰을 들었어. 다음에 어떻게 할까? 아동: 악기장에서 실로폰을 가져와요.
④	자리 앉기	앉아	자리 앉아	자기 자리에 앉아요	성인: 악기장에서 실로폰을 가져왔어. 다음에 뭐를 할까? 아동: 자기 자리에 앉아요.
⑤	실로폰 꺼내기	꺼내	실로폰 꺼내	가방에서 실로폰을 꺼내요	성인: 자기 자리에 앉았어. 다음에 뭐를 할까? 아동: 가방에서 실로폰을 꺼내요.
⑥	실로폰 책상에 놓기	놓아	실로폰 놓아	책상에 실로폰을 놓아요	성인: 가방에서 실로폰을 꺼냈어. 다음에 어떻게 할까? 아동: 책상에 실로폰을 놓아요.
⑦	선생님 보기	봐	선생님 봐	선생님이 하는 거 봐요	성인: 책상에 실로폰을 놓았어. 선생님이 실로폰 치는 방법을 알려주신대, 어떻게 해야 할까? 아동: 선생님이 하는 거 봐요.
⑧	실로폰채 들기	실로폰채	실로폰채 들어	양손으로 실로폰채를 들어요	성인: 선생님이 하는 걸 다 봤어. 실로폰을 쳐보자. 어떻게 할까? 아동: 양손으로 실로폰채를 들어요.
⑨	실로폰 치기/ 연주하기	연주해	실로폰 연주해	실로폰채로 실로폰을 연주해요	성인: 실로폰 채를 들었어. 뭐를 할까? 아동: 실로폰채로 실로폰을 연주해요.

유치원에서 실로폰을 연주해보자

음율영역 악기장으로 가요

두손으로 실로폰을 들어요

악기장에서
실로폰을
가져와요

자기 자리에 앉아요

가방에서 실로폰을 꺼내요

책상에 실로폰을 놓아요

선생님이 하는 거 봐요

실로폰채로 실로폰을 연주해요

양손으로 실로폰채를 들어요

친구와 부엌놀이하기

핵심 단어 : 역할영역, 부엌놀이, 음식, 그릇, 고르다, 설거지(하다), 정리(하다), 친구에게 다가가기, 가까이

시작 알리기 : 유치원 역할영역에서 친구하고 부엌놀이를 해보자

번호	단계	한단어	두단어	다단어 문장	대화
①	부엌놀이 꺼내오기	부엌놀이	부엌놀이 꺼내	선반에서 부엌놀이를 꺼내요	성인: 역할영역으로 가자. 뭐를 꺼낼까? 아동: 선반에서 부엌놀이를 꺼내요.
②	친구에게 다가가기	친구	친구에게 다가가	친구에게 가까이 다가가요	성인: 선반에서 부엌놀이를 꺼냈어. 다음에 누구에게 다가갈까? 아동: 친구에게 가까이 다가가요.
③	음식모형 고르기	음식	음식 골라	친구 줄 음식을 골라요	성인: 친구에게 가까이 갔어. 친구에게 음식을 주자, 뭐를 고를까? 아동: 친구 줄 음식을 골라요
④	그릇에 놓기	그릇	그릇에 놔	음식을 그릇에 놓아요	성인: 친구 줄 음식을 골랐어. 어떻게 할까? 아동: 접시/그릇에 음식을 놓아요.
⑤	친구 주기	줘	친구 줘	음식을 친구에게 줘요	성인: 접시/그릇에 음식을 놓았어. 다음에 어떻게 할까? 아동: 음식을 친구에게 줘요.
⑥	친구가 먹기	먹어	음식 먹어	친구가 음식을 먹어요	성인: 친구에게 음식을 줬어. 친구가 음식을 어떻게 할까? 아동: 친구가 음식을 먹어요.
⑦	그릇 받기	받아	그릇 받아	친구에게 그릇을 받아요	성인: 친구가 음식을 다 먹었어. 그릇을 어떻게 할까? 아동: 친구에게 그릇을 받아요.
⑧	설거지하기	설거지	그릇 설거지해	싱크대에서 그릇을 설거지해요	성인: 친구에게 그릇을 받았어. 다음에 뭐를 할까? 아동: 싱크대에서 그릇을 설거지해요.
⑨	정리하기	정리	장난감 정리	선반에 장난감을 정리해요	성인: 부엌놀이를 다했어. 장난감을 어떻게 할까? 아동: 선반에 장난감을 정리해요.

유치원 역할영역에서
친구하고 부엌놀이를 해보자

선반에서 부엌놀이를 꺼내요

친구에게 가까이 다가가요

음식을 그릇에 놓아요

친구·줄 음식을 골라요

음식을 친구에게 줘요

친구가 음식을 먹어요

친구에게 그릇을 받아요

선반에 장난감을 정리해요

싱크대에서 그릇을 설거지해요

친구들과 미끄럼틀 타기

5~6세

핵심 단어	줄, 순서, 다시, 한 명씩, 차례, 줄 서, 차례대로, 순서/차례 기다려
시작 알리기	놀이터에서 친구들과 차례차례 미끄럼틀 타자

번호	단계	한단어	두단어	다단어 문장	대화
①	줄서기	줄	줄 서	차례차례 줄을 서요	성인: 미끄럼틀을 타기 전에 어떻게 할까? 아동: 차례차례 줄을 서요.
②	계단 오르기	계단	계단 올라가	미끄럼틀 계단을 올라가요	성인: 차례차례 줄을 섰어. 다음에 뭐를 할까? 아동: 미끄럼틀 계단을 올라가요.
③	한명씩 타기	한명씩	한명씩 타	한명씩 미끄럼틀을 타요	성인: 미끄럼틀 계단을 올라갔어. 미끄럼틀을 어떻게 탈까? 아동: 한명씩 미끄럼틀을 타요.
④	차례 기다리기	기다려	차례 기다려	내 차례를 기다려요	성인: 앞에 친구가 타고 있어. 어떻게 할까? 아동: 내 차례를 기다려요.
⑤	앉기	앉아	엉덩이로 앉아	미끄럼틀에 엉덩이로 앉아요	성인: 내 차례가 되었어. 미끄럼틀에 어떻게 할까? 아동: 미끄럼틀에 엉덩이로 앉아요.
⑥	내려가기	내려가	타고 내려가	미끄럼틀을 타고 내려가요	성인: 미끄럼틀에 엉덩이로 앉았어. 다음에 뭐를 할까? 아동: 미끄럼틀을 타고 내려가요.
⑦	일어나기	일어나	빨리 일어나	끝에서 빨리 일어나요	성인: 미끄럼틀을 타고 내려갔어. 끝에선 어떻게 할까? 아동: 끝에서 빨리 일어나요.
⑧	다시 가기	다시	다시 가	다시 계단으로 가요	성인: 끝에서 빨리 일어났어. 또 타려면 어떻게 할까? 아동: 다시 계단으로 가요.
⑨	순서 기다리기	순서대로	순서대로 기다려	계단에서 순서대로 기다려요	성인: 다시 계단에 갔어. 어떻게 할까? 아동: 계단에서 순서대로 기다려요.

놀이터에서 친구들과
차례차례 미끄럼틀 타자

차례차례 줄을 서요

미끄럼틀 계단을 올라가요

내 차례를 기다려요

한명씩 미끄럼틀을 타요

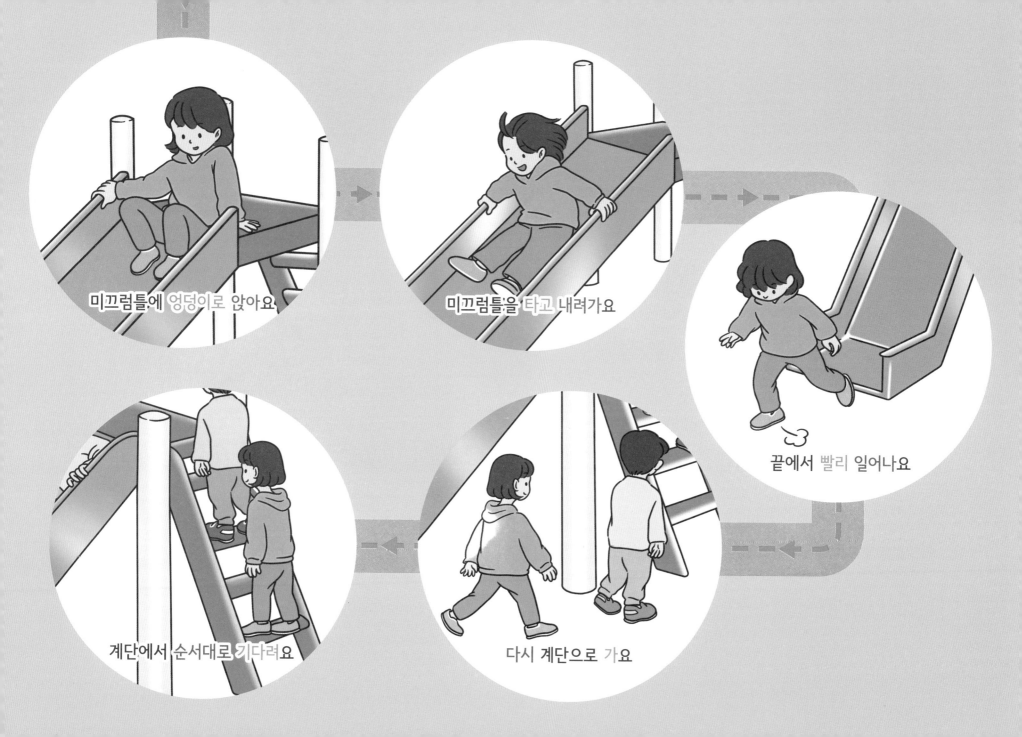

미끄럼틀에 엉덩이로 앉아요

미끄럼틀을 타고 내려가요

끝에서 빨리 일어나요

계단에서 순서대로 기다려요

다시 계단으로 가요

씨앗 심기

핵심 단어	화분, 씨앗, 창가, 물뿌리개, (~을) 심다, 구멍 막다, 구멍 파다 흙/구멍 덮다, 두드리다
시작 알리기	화분에 씨앗을 심자 (준비물: 화분, 씨앗, 흙, 삽, 물뿌리개)

번호	단계	한단어	두단어	다단어 문장	대화
①	화분 가져오기	화분	화분 가져와	화분을 가져와요	성인: 제일 먼저 뭐를 가져올까? 아동: 화분을 가져와요.
②	흙 담기	흙	흙 담아	화분에 흙을 담아요	성인: 화분의 구멍을 막았어. 다음에 화분에 뭐를 담을까? 아동: 화분에 흙을 담아요.
③	구멍 파기	구멍	구멍 파	흙에 구멍을 파요	성인: 화분에 흙을 담았어. 다음에 뭐를 팔까? 아동: 흙에 구멍을 파요.
④	씨앗 심기	씨앗	씨앗 심어	구멍에 씨앗을 심어요	성인: 흙에 구멍을 팠어. 다음에 뭐를 할까? 아동: 구멍에 씨앗을 심어요.
⑤	구멍 덮기	덮어	구멍 덮어	흙으로 구멍을 덮어요	성인: 구멍에 씨앗을 심었어. 다음에 뭐를 할까? 아동: 흙으로 구멍을 덮어요.
⑥	흙 두들기기	두들겨	흙 두들겨	흙을 삽으로 두들겨요	성인: 흙으로 구멍을 덮었어. 이제 흙을 어떻게 할까? 아동: 흙을 삽으로 두들겨요.
⑦	물 주기	물	물 줘	물뿌리개로 물을 줘요	성인: 흙을 삽으로 두들겼어. 다음에 뭐를 할까? 아동: 물뿌리개/물조리개로 물을 줘요.
⑧	이름표 꽂기	이름표	이름표 꽂아	화분에 이름표를 꽂아요	성인: 씨앗 이름은 어떻게 표시할까? 아동: 화분에 이름표를 꽂아요.
⑨	창가에 놓기	창가	창가 놓아	화분을 창가에 놓아요	성인: 씨앗을 다 심었다. 이제 어디에 둘까? 아동: 화분을 창가에 놓아요.

137

화분을 가져와요

화분에 씨앗을 심자

화분에 흙을 담아요

구멍에 씨앗을 심어요

흙에 구멍을 파요

흙으로 구멍을 덮어요

흙을 삽으로 두들겨요

물뿌리개로 물을 줘요

화분을 창가에 놓아요

화분에 이름표를 꽂아요

III 여가문화 및 지역사회 생활

3~4세

- 주사 맞기
- 공중화장실 이용하기
- 엘리베이터 이용하기
- 빵 사기
- 아이스크림 사 먹기
- 크리스마스트리 꾸미기

5~6세

- 햄버거 사 먹기
- 자동판매기 이용하기
- 식당 정수기 사용하기
- 버스 타기
- 자전거 타기
- 놀이터 그네 타기
- 횡단보도 건너기
- 도서관 이용하기
- 레스토랑 이용하기
- 수영장 이용하기

주사 맞기

3~4세

번호	단계	한단어	두단어	다단어 문장	대화
①	진료실 들어가기	진료실	진료실 들어가	진료실 안으로 들어가요	성인: 병원에 갔어, 어디로 들어갈까? 아동: 진료실 안으로 들어가요.
②	옷 올리기	올려	옷 올려	옷을 위로 올려요	성인: 진료실 안으로 들어왔어, 의사선생님이 진찰한대, 옷을 어떻게 할까? 아동: 옷을 위로 올려요.
③	청진기 하기	청진기	청진기 해	의사선생님이 청진기를 해요	성인: 옷을 위로 올렸어. 다음에 의사선생님이 뭐를 할까? 아동: 의사선생님이 청진기를 해요.
④	소매 걷기	걷어	소매 걷어	소매를 위로 걷어요	성인: 팔에 주사를 맞자. 소매를 어떻게 할까? 아동: 소매를 위로 걷어요.
⑤	팔에 주사맞기	주사	주사 맞아	팔에 주사를 맞아요	성인: 소매를 위로 걷었어. 다음에 뭐를 할까? 아동: 팔에 주사를 맞아요.
⑥	문지르기	문질러	팔 문질러	팔을 솜으로 문질러요	성인: 팔에 주사를 맞았어. 솜으로 어떻게 할까? 아동: 솜으로 팔을 문질러요.
⑦	솜 버리기	버려	솜 버려	쓰레기통에 솜을 버려요	성인: 솜으로 팔을 문질렀어. 솜을 어떻게 할까? 아동: 쓰레기통에 솜을 버려요.
⑧	밴드 붙이기	밴드	밴드 붙여	팔에 밴드를 붙여요	성인: 솜을 쓰레기통에 버렸어. 팔에 무엇을 붙일까? 아동: 팔에 밴드를 붙여요.
⑨	소매 내리기	내려	소매 내려	소매를 아래로 내려요	성인: 팔에 밴드를 붙였어. 이제 소매를 어떻게 할까? 아동: 소매를 아래로 내려요.

병원에서 주사를 맞아요

진료실 안으로 들어가요

옷을 위로 올려요

소매를 위로 걷어요

의사선생님이 청진기를 해요

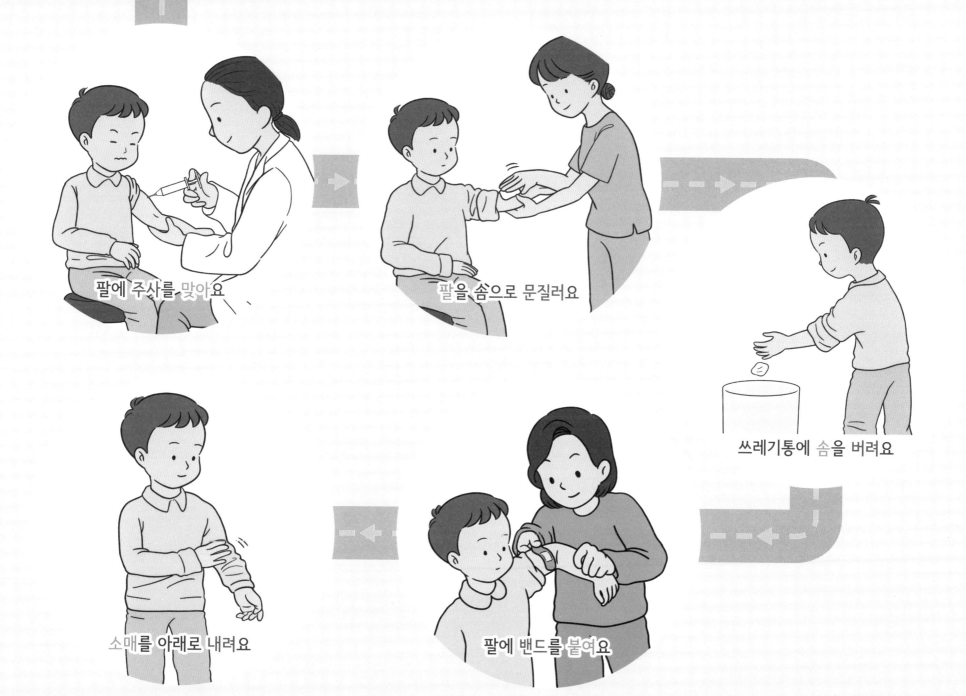

팔에 주사를 맞아요

팔을 솜으로 문질러요

쓰레기통에 솜을 버려요

소매를 아래로 내려요

팔에 밴드를 붙여요

공중화장실 이용하기

3~4세

핵심 단어 : 줄(서), 빈칸, 잠그다, (변기)물 내리다, 건조기, 손(을) 말리다

시작 알리기 : 공중화장실에서 오줌을 누자

번호	단계	한단어	두단어	다단어 문장	대화
①	줄 서기	줄	줄 서	화장실에서 줄을 서요	성인: 공중화장실에 들어갔어. 먼저 뭐를 해야 할까? 아동: 화장실에서 줄을 서요.
②	빈칸으로 가기	빈칸	빈칸 가	빈칸 앞으로 가요	성인: 화장실에서 줄을 섰어. 화장실 빈칸이 생겼어. 어떻게 해야 할까? 아동: 빈칸 앞으로 가요.
③	빈칸 들어가기	들어가	빈칸 들어가	빈칸 안에 들어가요	성인: 빈칸 앞으로 갔어. 다음에 어떻게 할까? 아동: 빈칸 안에 들어가요.
④	문 잠그기	잠가	문 잠가	화장실 문을 잠가요	성인: 빈칸 안에 들어갔어. 문을 어떻게 해야 할까? 아동: 화장실 문을 잠가요.
⑤	오줌 누기	오줌	오줌 눠	변기에 오줌을 눠요	성인: 화장실 문을 잠갔어. 다음에 뭐를 할까? 아동: 변기에 오줌을 눠요.
⑥	변기 물 내리기	내려	물 내려	변기 물을 내려요	성인: 변기에 오줌을 다 눴어. 변기물을 어떻게 해야 할까? 아동: 변기 물을 내려요.
⑦	문 열기	열어	문 열어	화장실 문을 열어요	성인: 변기 물을 내렸어. 다음에 뭐를 해야 할까? 아동: 화장실 문을 열어요.
⑧	손 씻기	씻어	손 씻어	세면대에서 손을 씻어요	성인: 화장실 문을 열고 나왔어. 다음에 뭐를 해야 할까? 아동: 세면대에서 손을 씻어요.
⑨	손 말리기	말려	손 말려	건조기에서 손을 말려요	성인: 세면대에서 손을 씻었어. 손을 어떻게 할까? 아동: 건조기에서 손을 말려요.

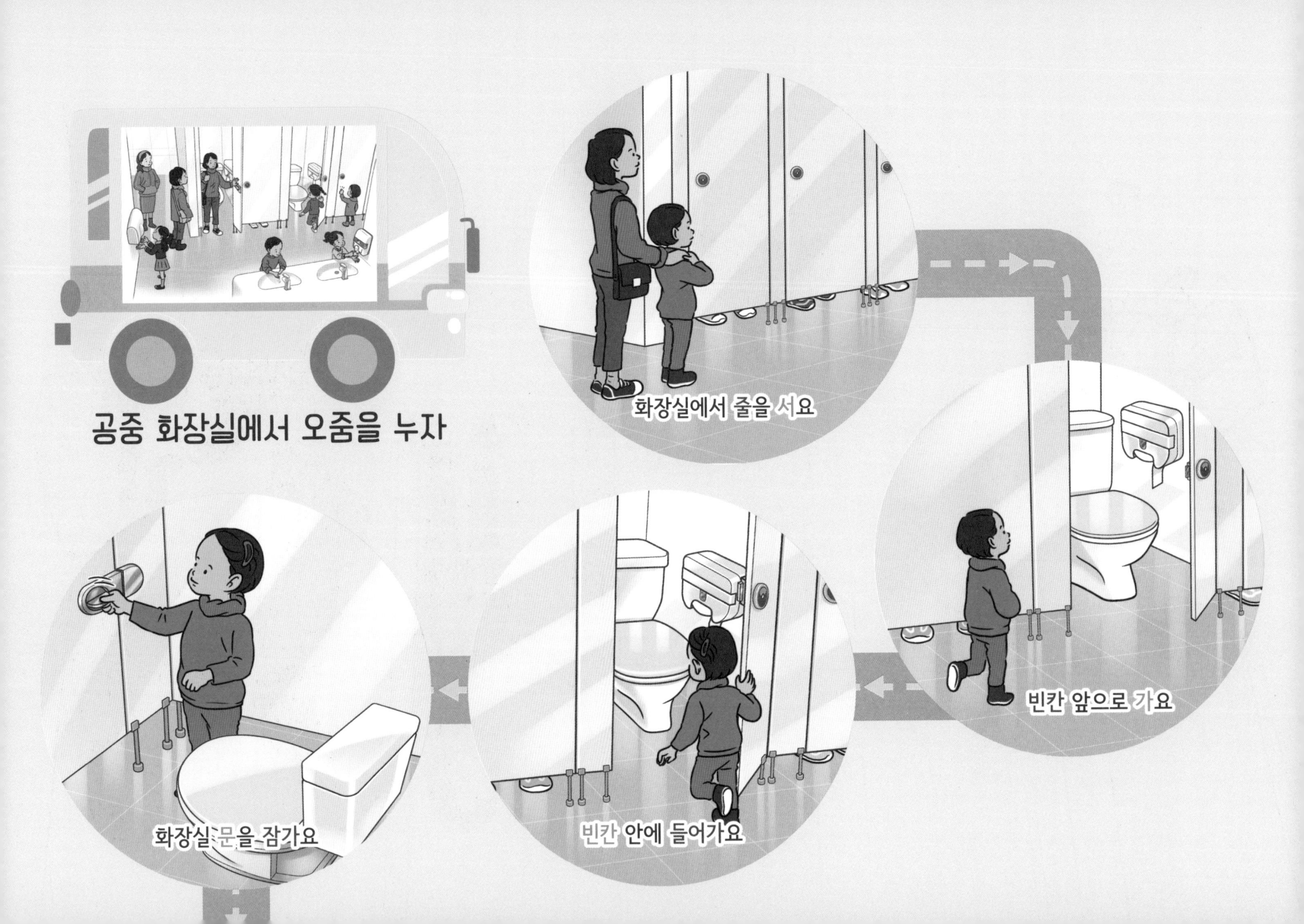

공중 화장실에서 오줌을 누자

화장실에서 줄을 서요

빈칸 앞으로 가요

빈칸 안에 들어가요

화장실 문을 잠가요

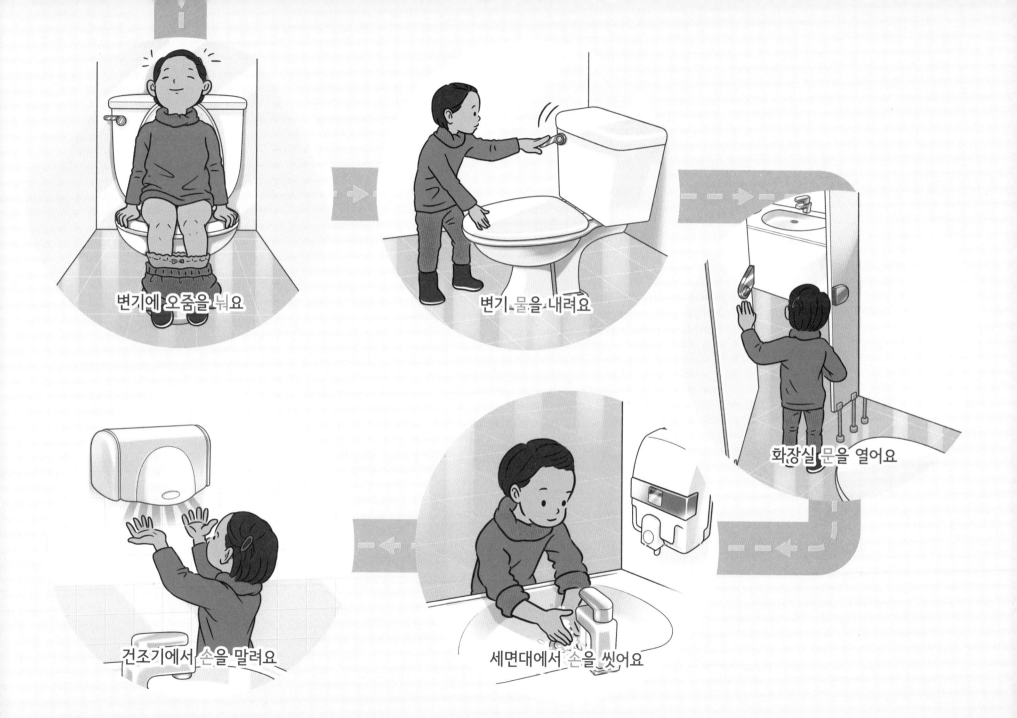

변기에 오줌을 눠요

변기 물을 내려요

화장실 문을 열어요

건조기에서 손을 말려요

세면대에서 손을 씻어요

엘리베이터 이용하기

핵심 단어	엘리베이터, 버튼, 층번호, 도착(하다), 차례대로
시작 알리기	엘리베이터를 타자

번호	단계	한단어	두단어	다단어 문장	대화
①	엘리베이터로 가기	엘리베이터	엘리베이터 가	엘리베이터 앞으로 가요	성인: 엘리베이터를 타자. 어디로 갈까? 아동: 엘리베이터 앞으로 가요.
②	버튼 누르기	버튼	버튼 눌러	엘리베이터 버튼을 눌러요	성인: 엘리베이터 앞에 갔어. 다음에 뭐를 누를까? 아동: 엘리베이터 버튼을 눌러요.
③	기다리기	기다려	엘리베이터 기다려	엘리베이터가 오기를 기다려요	성인: 엘리베이터 버튼을 눌렀어. 다음에 어떻게 할까? 아동: 엘리베이터가 오기를 기다려요.
④	엘리베이터 문 열림	문	문 열려	엘리베이터 문이 열려요	성인: 엘리베이터가 왔어. 이제 뭐가 열릴까? 아동: 엘리베이터 문이 열려요.
⑤	엘리베이터 타기	타	엘리베이터 타	차례대로 엘리베이터를 타요	성인: 엘리베이터 문이 열렸어. 이제 어떻게 할까? 아동: 차례대로 엘리베이터를 타요.
⑥	층번호 누르기	층번호	층번호 눌러	층번호 버튼을 눌러요	성인: 엘리베이터에 탔어. 다음에 뭐를 할까? 아동: 층번호 버튼을 눌러요.
⑦	문 닫힘	닫혀	문 닫혀	엘리베이터 문이 닫혀요	성인: 층번호 버튼을 눌렀어. 이제 어떻게 될까? 아동: 엘리베이터 문이 닫혀요.
⑧	엘리베이터 도착	도착	엘리베이터 도착	층에 엘리베이터가 도착해요	성인: 엘리베이터 문이 닫혔어, 이제 어떻게 될까? 아동: 층에 엘리베이터가 도착해요.
⑨	엘리베이터 내리기	내려	엘리베이터 내려	차례대로 엘리베이터에서 내려요	성인: 엘리베이터가 층에 도착했어. 다음에 뭐를 할까? 아동: 차례대로 엘리베이터에서 내려요.

엘리베이터를 타자

엘리베이터 앞으로 가요

엘리베이터 버튼을 눌러요

엘리베이터가 오기를 기다려요

엘리베이터 문이 열려요

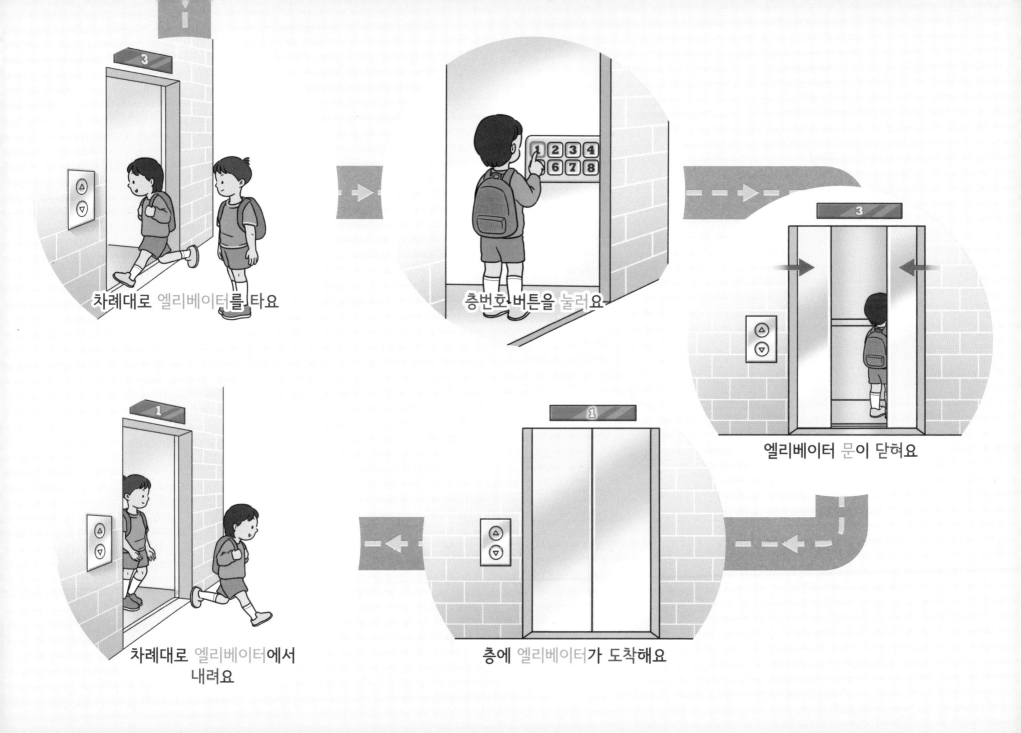

차례대로 엘리베이터를 타요

층번호 버튼을 눌러요

엘리베이터 문이 닫혀요

차례대로 엘리베이터에서
내려요

층에 엘리베이터가 도착해요

빵 사기

3~4세

빵집, 쟁반, 집게, 계산대, 고르다, ~에 담다, 줄 서다, 값 계산하다

빵집에서 빵을 사자 (준비물: 쟁반, 집게, 빵, 봉투)

번호	단계	한단어	두단어	다단어 문장	대화
①	빵집 가기	빵집	빵집 가	빵집 안으로 가요	성인: 빵을 사러 어디로 갈까? 아동: 빵집 안으로 가요.
②	쟁반 들기	쟁반	쟁반 들어	손으로 쟁반을 들어요	성인: 빵집 안으로 들어갔어. 빵을 담으려면 어떻게 할까? 아동: 손으로 쟁반을 들어요.
③	집게 잡기	집게	집게 잡아	손으로 집게를 잡아요	성인: 손으로 쟁반을 들었어. 빵을 집으려면 뭐를 할까? 아동: 손으로 집게를 잡아요.
④	빵 고르기(찾기)	빵	빵 골라	진열대에서 빵을 골라요	성인: 손으로 집게를 잡았어. 다음에 진열대에서 뭐를 할까? 아동: 진열대에서 빵을 골라요.
⑤	빵 집기	집어	빵 집어	집게로 빵을 집어요	성인: 맛있는 빵을 골랐어. 집게로 빵을 어떻게 할까? 아동: 집게로 빵을 집어요.
⑥	빵 담기	담아	쟁반에 담아	빵을 쟁반에 담아요	성인: 집게로 빵을 집었어. 다음에 뭐를 할까? 아동: 빵을 쟁반에 담아요.
⑦	계산대 줄 서기	줄	줄 서	계산대에서 줄을 서요	성인: 빵을 쟁반에 담았어. 다음에 뭐를 할까? 아동: 계산대에서 줄을 서요.
⑧	계산하기	계산해	빵 계산해	계산대에서 빵을 계산해요	성인: 계산대에서 줄을 섰어. 다음에 뭐를 할까? 아동: 계산대에서 빵을 계산해요.
⑨	빵 받기	받아	봉투 받아	빵 봉투를 받아요	성인: 계산대에서 빵을 계산했어. 빵 봉투를 어떻게 할까? 아동: 빵 봉투를 받아요.

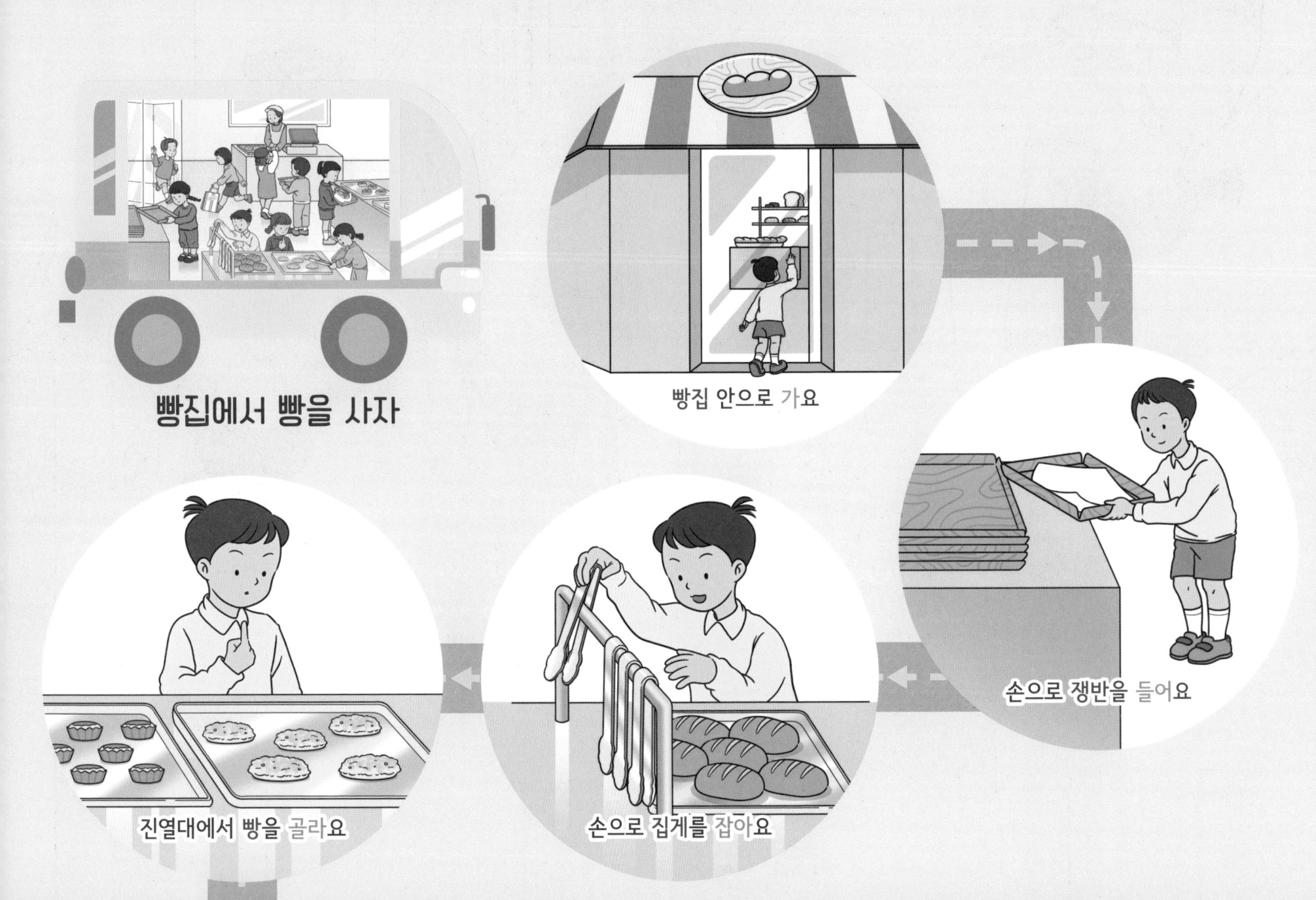

빵집에서 빵을 사자

빵집 안으로 가요

손으로 쟁반을 들어요

진열대에서 빵을 골라요

손으로 집게를 잡아요

집게로 빵을 집어요

빵을 쟁반에 담아요

계산대에서 줄을 서요

빵 봉투를 받아요

계산대에서 빵을 계산해요

아이스크림 사 먹기

핵심 단어
아이스크림, 값, 고르다, 계산(하다), 껍질(을) 까다

시작 알리기
아이스크림을 사 먹자

번호	단계	한단어	두단어	다단어 문장	대화
①	아이스크림 냉장고로 가기	아이스크림	아이스크림 냉장고	아이스크림 냉장고로 가요	성인: 아이스크림을 고르려면 어디로 갈까? 아동: 아이스크림 냉장고로 가요.
②	아이스크림 고르기	골라	아이스크림 골라	냉장고에서 아이스크림을 골라요	성인: 아이스크림 냉장고로 갔어. 다음에 뭐를 할까? 아동: 냉장고에서 아이스크림을 골라요
③	냉장고 문 열기	열어	냉장고 열어	냉장고 문을 열어요	성인: 냉장고에서 아이스크림을 골랐어. 다음에 뭐를 할까? 아동: 냉장고 문을 열어요.
④	아이스크림 꺼내기	꺼내	아이스크림 꺼내	냉장고에서 아이스크림을 꺼내요	성인: 냉장고 문을 열었어. 이제 어떻게 할까? 아동: 냉장고에서 아이스크림을 꺼내요.
⑤	냉장고 문 닫기	닫아	냉장고 닫아	냉장고 문을 닫아요	성인: 냉장고에서 아이스크림을 꺼냈어. 다음에 뭐를 할까? 아동: 냉장고 문을 닫아요.
⑥	아이스크림 계산하기	계산해	아이스크림 계산해	아이스크림 값을 계산해요	성인: 냉장고 문을 닫았어. 다음에 뭐를 할까? 아동: 아이스크림 값을 계산해요.
⑦	아이스크림 껍질 까기	까	껍질 까	아이스크림 껍질을 까요	성인: 아이스크림 값을 계산했어. 다음에 뭐를 할까? 아동: 아이스크림 껍질을 까요.
⑧	껍질 버리기	버려	껍질 버려	쓰레기통에 껍질을 버려요	성인: 아이스크림 껍질을 깠어. 껍질을 어떻게 할까? 아동: 쓰레기통에 껍질을 버려요.
⑨	아이스크림 먹기	먹어	아이스크림 먹어	맛있게 아이스크림을 먹어요	성인: 쓰레기통에 껍질을 버렸어. 이제 뭐를 할까? 아동: 맛있게 아이스크림을 먹어요.

아이스크림을 사 먹자

아이스크림 냉장고로 가요

냉장고에서
아이스크림을 골라요

냉장고
문을 열어요

냉장고에서
아이스크림을
꺼내요

냉장고
문을 닫아요

아이스크림 값을 계산해요

아이스크림 껍질을 까요

맛있게 아이스크림을 먹어요

쓰레기통에 껍질을 버려요

크리스마스트리 꾸미기

핵심 단어 ⇒ 크리스마스트리, 가지, 장식, 전구, 코드, ~(를) 달다, 세우다, 전기/코드 꽂다

시작 알리기 ⇒ 크리스마스트리를 꾸며보자 (준비물: 크리스마스트리 상자, 크리스마스트리, 장식, 전구)

번호	단계	한단어	두단어	다단어 문장	대화
①	크리스마스트리 꺼내기	크리스마스 트리	크리스마스트리 꺼내	상자에서 크리스마스트리를 꺼내요	성인: 크리스마스트리 상자를 갖고 왔어. 먼저 뭐를 해야 할까? 아동: 상자에서 크리스마스트리를 꺼내요.
②	크리스마스트리 세우기	세워	크리스마스트리 세워	바닥에 크리스마스트리를 세워요	성인: 상자에서 트리를 꺼냈어. 크리스마스트리를 어떻게 할까? 아동: 바닥에 크리스마스트리를 세워요.
③	가지 끼우기	가지	가지 끼워	크리스마스트리에 가지를 끼워요	성인: 바닥에 트리를 세웠어. 다음에 뭐를 할까? 아동: 크리스마스트리에 가지를 끼워요.
④	장식 꺼내기	장식	장식 꺼내	크리스마스 장식을 꺼내요	성인: 가지를 트리에 끼웠어. 다음에 뭐를 꺼내야 할까? 아동: 크리스마스 장식을 꺼내요.
⑤	장식 달기	달아	장식 달아	트리에 장식을 달아요	성인: 크리스마스 장식을 꺼냈어. 장식을 어떻게 할까? 아동: 트리에 장식을 달아요.
⑥	전구 꺼내기	전구	전구 꺼내	크리스마스 전구를 꺼내요	성인: 트리에 장식을 달았어. 또 뭐를 꺼내야 할까? 아동: 크리스마스 전구를 꺼내요.
⑦	전구 걸기	걸어	전구 걸어	트리에 전구를 걸어요	성인: 크리스마스 전구를 꺼냈어. 전구를 어떻게 할까? 아동: 트리에 전구를 걸어요.
⑧	코드 꽂기	꽂아	코드 꽂아	콘센트에 전기/코드를 꽂아요	성인: 전구를 트리에 걸었어. 다음에 뭐를 할까? 아동: 콘센트에 전구/코드를 꽂아요.
⑨	전구 켜기	켜	전구 켜	전구 불을 켜요	성인: 전구코드를 콘센트에 꽂았어. 다음에 뭐를 할까? 아동: 전구 불을 켜요.

크리스마스트리를 꾸며보자

상자에서 크리스마스트리를 꺼내요

바닥에 크리스마스트리를 세워요

크리스마스 장식을 꺼내요

크리스마스트리에 가지를 끼워요

트리에 장식을 달아요

크리스마스 전구를 꺼내요

트리에 전구를 걸어요

전구 불을 켜요

콘센트에 전기/코드를 꽂아요

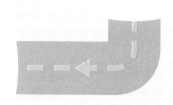

햄버거 사 먹기

5~6세

핵심 단어: 햄버거 가게, 주문대, 포장지, 주문(하다), 결제(하다), (포장지를) 벗기다

시작 알리기: 햄버거 가게에서 햄버거를 사 먹자

번호	단계	한단어	두단어	다단어 문장	대화
①	햄버거 가게로 가기	햄버거 가게	햄버거 가게 가	햄버거 가게로 가요	성인: 햄버거를 먹으러 어디로 가야 할까? 아동: 햄버거 가게로 가요.
②	주문하기	주문(해)	햄버거 주문해	주문대에서 햄버거를 주문해요	성인: 햄버거 가게로 갔어. 주문대에서 뭐를 할까? 아동: 주문대에서 햄버거를 주문해요.
③	결제하기	결제	값 결제해	햄버거 값을 결제해요	성인: 주문대에서 햄버거를 주문했어. 다음에 뭐를 할까? 아동: 햄버거 값을 결제해요.
④	기다리기	기다려	햄버거 기다려	햄버거가 나오기를 기다려요	성인: 햄버거 값을 결제했어. 이제 어떻게 할까? 아동: 햄버거가 나오기를 기다려요.
⑤	받기	받아	햄버거 받아	햄버거 쟁반을 받아요	성인: 햄버거가 쟁반에 나왔어. 쟁반을 어떻게 할까? 아동: 햄버거 쟁반을 받아요.
⑥	자리 앉기	앉아	자리 앉아	빈 자리에 앉아요	성인: 햄버거 쟁반을 받았어. 다음에 뭐를 할까? 아동: 빈 자리에 앉아요.
⑦	포장지 벗기기	벗겨	포장지 벗겨요	햄버거 포장지를 벗겨요	성인: 빈 자리에 앉았어. 햄버거 포장지를 어떻게 할까? 아동: 햄버거 포장지를 벗겨요.
⑧	먹기	먹어	햄버거 먹어	햄버거를 잡고 먹어요	성인: 햄버거 포장지를 벗겼어. 다음에 뭐를 할까? 아동: 햄버거를 잡고 먹어요.
⑨	쓰레기 버리기	버려	쓰레기 버려	쓰레기통에 쓰레기를 버려요	성인: 햄버거를 다 먹었다. 쓰레기를 어떻게 할까? 아동: 쓰레기통에 쓰레기를 버려요.

햄버거 가게에서 햄버거를 사 먹자

햄버거 가게로 가요

주문대에서 햄버거를 주문해요

햄버거 값을 결제해요

햄버거가 나오기를 기다려요

햄버거 쟁반을 받아요

빈 자리에 앉아요

햄버거 포장지를 벗겨요

햄버거를 잡고 먹어요

쓰레기통에 쓰레기를 버려요

자동판매기 이용하기

핵심 단어	자판기, 버튼, 음료수, 거스름돈, 하나, 빈 병, 고르다, 따다
시작 알리기	자판기에서 시원한 음료수를 뽑아 마시자

번호	단계	한단어	두단어	다단어 문장	대화
①	음료수 자판기	자판기	자판기 가	음료수 자판기로 가요	성인: 음료수를 뽑으러 어디로 가지? 아동: 음료수 자판기로 가요.
②	음료수 고르기	골라	음료수 골라	음료수를 하나 골라요	성인: 음료수 자판기로 갔어. 다음에 뭐를 할까? 아동: 음료수를 하나 골라요.
③	동전(돈) 넣기	돈	돈 넣어	자판기에 돈을 넣어요	성인: 음료수를 하나 골랐어. 다음에 뭐를 할까? 아동: 자판기에 돈을 넣어요.
④	버튼 누르기	버튼	버튼 눌러	자판기 버튼을 눌러요	성인: 자판기에 돈을 넣었어. 다음에 뭐를 할까? 아동: 자판기 버튼을 눌러요.
⑤	음료수 꺼내기	음료수	음료수 꺼내	자판기에서 음료수를 꺼내요	성인: 자판기 버튼을 눌렀어. 다음에 뭐를 할까? 아동: 자판기에서 음료수를 꺼내요.
⑥	거스름돈 꺼내기	거스름돈	거스름돈 꺼내	자판기에서 거스름돈을 꺼내요	성인: 자판기에서 음료수를 꺼냈어. 다음에 뭐를 꺼낼까? 아동: 자판기에서 거스름돈을 꺼내요.
⑦	음료수 뚜껑 따기	따	뚜껑 따	음료수 뚜껑을 따요	성인: 이제 음료수를 마시자, 먼저 뭐를 할까? 아동: 음료수 뚜껑을 따요.
⑧	음료수 마시기	마셔	음료수 마셔	시원한 음료수를 마셔요	성인: 음료수 뚜껑을 땄어. 다음에 뭐를 할까? 아동: 시원한 음료수를 마셔요.
⑨	음료수캔 버리기	버려	쓰레기통에 버려	음료수캔을 쓰레기통에 버려요	성인: 시원한 음료수를 다 마셨어. 음료수캔을 어떻게 할까? 아동: 음료수캔을 쓰레기통에 버려요.

자판기에서
시원한 음료수를 뽑아 마시자

음료수 자판기로 가요

음료수를 하나 골라요

자판기에 돈을 넣어요

자판기 버튼을 눌러요

자판기에서 음료수를 꺼내요

자판기에서 거스름돈을 꺼내요

음료수 뚜껑을 따요

시원한 음료수를 마셔요

음료수캔을 쓰레기통에 버려요

식당 정수기 사용하기

핵심 단어 : 정수기, 컵 건조대, 컵 수거기, 물(을) 받다

시작 알리기 : 식당에서 정수기로 물을 마시자

번호	단계	한단어	두단어	다단어 문장	대화
①	컵 건조대로 가기	컵	컵 건조대	컵 건조대로 가요	성인: 식당에서 정수기 물을 마시자. 먼저 어디로 갈까? 아동: 컵 건조대로 가요.
②	컵 꺼내기	꺼내	컵 꺼내	건조대에서 컵을 꺼내요	성인: 건조대 앞으로 갔어. 다음에 뭐를 할까? 아동: 건조대에서 컵을 꺼내요.
③	정수기로 가기	정수기	정수기 가	정수기 앞으로 가요	성인: 컵을 꺼냈어. 이제 어디로 갈까? 아동: 정수기 앞으로 가요.
④	컵 놓기	놓아	컵 놓아	정수기에 컵을 놓아요	성인: 정수기 앞으로 갔어. 다음에 뭐를 할까? 아동: 정수기에 컵을 놓아요.
⑤	정수기 버튼(단추) 누르기	버튼(단추)	버튼 눌러	정수기 버튼을 눌러요	성인: 정수기에 컵을 놓았어. 다음에 뭐를 할까? 아동: 정수기 버튼을 눌러요.
⑥	물 받기	받아	물 받아	컵에 물을 받아요	성인: 버튼을 눌렀어. 다음에 뭐를 할까? 아동: 컵에 물을 받아요.
⑦	컵 들기	들어	컵 들어	손으로 컵을 들어요	성인: 컵에 물을 받았어. 다음에 어떻게 할까? 아동: 손으로 컵을 들어요.
⑧	물 마시기	마셔	물 마셔	컵으로 물을 마셔요	성인: 손으로 컵을 들었어. 이제 뭐를 할까? 아동: 컵으로 물을 마셔요.
⑨	컵 수거기에 넣기	넣어	컵 넣어	컵 수거기에 컵을 넣어요	성인: 물을 다 마셨어. 컵을 어떻게 할까? 아동: 컵 수거기에 컵을 넣어요.

식당에서 정수기로 물을 마시자

컵 건조대로 가요

건조대에서 컵을 꺼내요

정수기에 컵을 놓아요

정수기 앞으로 가요

정수기 버튼을 눌러요

컵에 물을 받아요

손으로 컵을 들어요

컵 수거기에 컵을 넣어요

컵으로 물을 마셔요

버스 타기

핵심 단어: 버스 정류장, 버스 번호, 교통카드, 앞문, 뒷문, 하차벨, 확인(하다), 카드 찍다, (하차)벨 누르다

시작 알리기: 버스 정류장에서 버스를 타자

번호	단계	한단어	두단어	다단어 문장	대화
①	버스 정류장 가기	정류장	버스 정류장	버스 정류장으로 가요	성인: 버스를 타자. 어디로 가야 할까? 아동: 버스 정류장으로 가요.
②	버스 기다리기	기다려	버스 기다려	정류장에서 버스를 기다려요	성인: 버스 정류장으로 갔어. 어떻게 할까? 아동: 정류장에서 버스를 기다려요.
③	버스 번호 확인하기	번호	번호 확인해	버스 번호를 확인해요	성인: 버스가 왔다. 뭐를 확인할까? 아동: 버스 번호를 확인해요.
④	버스 타기	타	버스 타	앞문으로 버스에 타요	성인: 버스 번호를 확인했어. 다음에 뭐를 할까? 아동: 앞문으로 버스에 타요.
⑤	교통카드 찍기	교통카드	교통카드 찍어	카드기에 교통카드를 찍어요	성인: 앞문으로 버스에 탔어. 다음에 뭐를 할까? 아동: 카드기에 교통카드를 찍어요.
⑥	자리 앉기	앉아	자리 앉아	빈 자리에 앉아요	성인: 교통카드를 카드기에 찍었어. 다음에 어떻게 할까? 아동: 빈 자리에 앉아요.
⑦	하차 벨 누르기	벨	벨 눌러	하차 벨을 눌러요	성인: 버스에서 내리려고 해. 뭐를 눌러야 할까? 아동: 하차 벨을 눌러요.
⑧	뒷문으로 가기	뒷문	버스 뒷문	버스 뒷문으로 가요	성인: 하차 벨을 눌렀어. 이제 뭐를 할까? 아동: 버스 뒷문으로 가요.
⑨	버스 내리기	내려	버스 내려	뒷문으로 버스에서 내려요	성인: 버스가 멈췄어. 이제 어떻게 할까? 아동: 뒷문으로 버스에서 내려요.

20

20	잠시 후
53	2분 후
15	4분 후
88	7분 후

179

버스 정류장에서 버스를 타자

버스 정류장으로 가요

정류장에서 버스를 기다려요

앞문으로 버스에 타요

버스 번호를 확인해요

카드기에 교통카드를 찍어요

빈 자리에 앉아요

하차 벨을 눌러요

뒷문으로 버스에서 내려요

버스 뒷문으로 가요

자전거 타기

5~6세

헬멧, 무릎보호대, 안장, 손잡이, 페달, (페달을) 밟다, (보호대를) 차다

시작 알리기 **자전거를 타자**

번호	단계	한단어	두단어	다단어 문장	대화
①	헬멧(안전모) 쓰기	헬멧	헬멧 써	머리에 헬멧을 써요	성인: 자전거를 타자, 머리에 뭐를 쓸까? 아동: 머리에 헬멧을 써요.
②	무릎보호대 차기	무릎보호대	무릎보호대 차	무릎에 무릎보호대를 차요	성인: 머리에 헬멧을 썼어. 무릎에는 뭐를 찰까? 아동: 무릎에 무릎보호대를 차요.
③	자전거에 앉기	앉아	자전거 앉아	자전거 의자/안장에 앉아요	성인: 무릎보호대를 무릎에 찼어. 다음에 뭐를 할까? 아동: 자전거 의자/안장에 앉아요.
④	손잡이 잡기	잡아	손잡이 잡아	자전거 손잡이를 잡아요	성인: 자전거 의자/안장에 앉았어. 손잡이를 어떻게 할까? 아동: 자전거 손잡이를 잡아요.
⑤	발 올리기	발	발 올려	페달에 발을 올려요	성인: 자전거 손잡이를 잡았어. 발을 어떻게 할까? 아동: 발을 페달에 올려요.
⑥	페달 밟기	밟아	페달 밟아	발로 페달을 밟아요	성인: 발을 페달에 올렸어. 페달을 어떻게 할까? 아동: 발로 페달을 밟아요.
⑦	자전거 타기	출발	자전거 출발	앞으로 자전거가 출발해요	성인: 발로 페달을 밟았어. 자전거가 어떻게 될까? 아동: 앞으로 자전거가 출발해요.
⑧	자전거 멈추기	멈춰	페달 멈춰	자전거 페달을 멈춰요	성인: 자전거가 출발했어. 자전거를 그만 타자. 페달을 어떻게 할까? 아동: 자전거 페달을 멈춰요.
⑨	자전거에서 내리기	내려	자전거 내려	자전거 의자/안장에서 내려요	성인: 자전거를 다 탔어. 어떻게 할까? 아동: 자전거 의자/안장에서 내려요.

자전거를 타자

머리에 헬멧을 써요

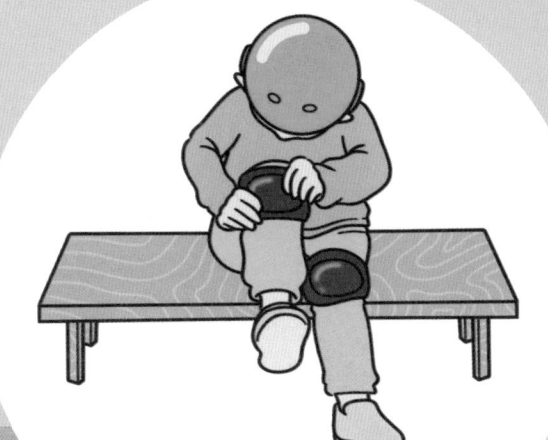

무릎에 무릎보호대를 차요

자전거 손잡이를 잡아요

자전거 의자/안장에 앉아요

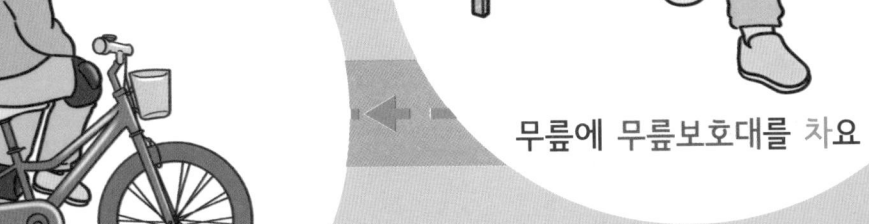

페달에 발을 올려요

발로 페달을 밟아요

앞으로 자전거가 출발해요

자전거 의자/안장에서 내려요

자전거 페달을 멈춰요

놀이터 그네 타기

5~6세

핵심 단어 놀이터, 그네, 그네줄, 발(을) 들다, 순서 바꾸기, 그네 밀기, 두발로 내리다

시작 알리기 친구와 놀이터에서 그네를 타자

번호	단계	한단어	두단어	다단어 문장	대화
①	놀이터 가기	놀이터	놀이터 가	친구랑 놀이터에 가요	성인: 친구와 그네를 타자. 친구랑 어디 갈까? 아동: 친구랑 놀이터에 가요.
②	그네로 가기	그네	그네 가	그네 앞으로 가요	성인: 친구랑 놀이터에 왔어. 이제 어디로 갈까? 아동: 그네 앞으로 가요.
③	그네줄 잡기	잡아	그네줄 잡아	손으로 그네줄을 잡아요	성인: 친구랑 그네 앞으로 갔어요. 다음에 뭐를 할까? 아동: 손으로 그네줄을 잡아요.
④	그네에 앉기	앉아	그네 앉아	엉덩이로 그네에 앉아요	성인: 손으로 그네줄을 잡았어. 다음에 뭐를 할까? 아동: 엉덩이로 그네에 앉아요.
⑤	발 들기	발	발 들어	높이 발을 들어요	성인: 엉덩이로 그네에 앉았어. 다음에 발을 어떻게 할까? 아동: 발을 높이 들어요.
⑥	그네 밀기	밀어	그네 밀어	친구가 그네를 밀어요	성인: 발을 높이 들었어요. 친구가 그네를 어떻게 할까? 아동: 친구가 그네를 밀어요.
⑦	그네 타기	타요	그네 타요	그네줄을 잡고 타요	성인: 친구가 그네를 밀어 줬어. 다음에 어떻게 할까 아동: 그네줄을 잡고 타요.
⑧	그네 내리기	내려	그네 내려	두발로 그네에서 내려요	성인: 그네를 다 탔어. 다음에 어떻게 할까? 아동: 두발로 그네에서 내려요.
⑨	순서 바꾸기	바꿔	순서 바꿔	친구랑 순서를 바꿔요	성인: 그네에서 두발로 내렸어. 이제 어떻게 할까? 아동: 친구랑 순서를 바꿔요.

친구와 놀이터에서 그네를 타자

친구랑 놀이터에 가요

그네 앞으로 가요

엉덩이로 그네에 앉아요

손으로 그네줄을 잡아요

높이 발을 들어요

친구가 그네를 밀어요

그네줄을 잡고 타요

친구랑 순서를 바꿔요

두발로 그네에서 내려요

횡단보도 건너기

핵심 단어 : 횡단보도, 신호등, 색깔, 빨간불, 초록불, 멈추다, 살펴보다, ~을 내리다, 높이, 아래로

시작 알리기 : 엄마랑 횡단보도로 찻길을 건너자

번호	단계	한단어	두단어	다단어 문장	대화
①	횡단보도 앞으로 가기	횡단보도	횡단보도 가	횡단보도 앞으로 가요	성인: 찻길을 건너자. 어디로 가야 할까? 아동: 횡단보도 앞으로 가요.
②	노란 선에 멈추기	멈춰	노란 선 멈춰	노란 선 앞에 멈춰요	성인: 횡단보도 앞으로 갔어. 먼저 어떻게 할까? 아동: 노란 선 앞에 멈춰요.
③	신호등 보기	신호등	신호등 봐	신호등 색깔을 봐요	성인: 노란 선 앞에서 멈췄어. 다음에 뭐를 볼까? 아동: 신호등 색깔을 봐요.
④	초록불 기다리기	기다려	초록불 기다려	신호등 초록불을 기다려요	성인: 신호등 색깔이 빨간 색이야. 어떻게 할까? 아동: 신호등 초록불을 기다려요.
⑤	차 살피기	살펴봐	차 살펴봐	차가 오나 살펴봐요	성인: 초록불이 켜졌어. 다음에 어떻게 할까? 아동: 차가 오나 살펴봐요.
⑥	엄마랑 손잡기	잡아	손 잡아	엄마랑 손을 잡아요	성인: 차가 오나 살펴봤어. 다음에 어떻게 할까 아동: 엄마랑 손을 잡아요.
⑦	손 들기	들어	손 들어	손을 높이 들어요	성인: 엄마랑 손을 잡았어. 다른 손은 어떻게 할까? 아동: 손을 높이 들어요.
⑧	횡단보도 건너기	건너	횡단보도 건너	엄마랑 횡단보도를 건너요	성인: 손을 높이 들었어. 다음에 어떻게 할까? 아동: 엄마랑 횡단보도를 건너요.
⑨	손 내리기	내려	손 내려	아래로 손을 내려요	성인: 횡단보도를 다 건넜다. 손을 어떻게 할까? 아동: 손을 아래로 내려요.

엄마랑 횡단보도로 찻길을 건너자

횡단보도 앞으로 가요

노란 선 앞에 멈춰요

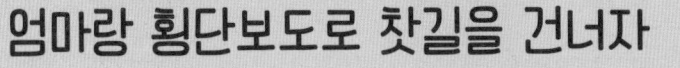

신호등 **초록불**을 기다려요

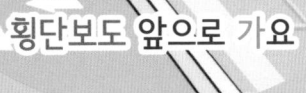

신호등 색깔을 봐요

차가 오나 살펴봐요

엄마랑 손을 잡아요

손을 높이 들어요

아래로 손을 내려요

엄마랑 횡단보도를 건너요

도서관 이용하기

핵심 단어	도서관, 검색(대), 반납(대), 번호, 프린트, 빈자리, 검색하다, 반납하다			
시작 알리기	도서관에서 책을 읽자			

번호	단계	한단어	두단어	다단어 문장	대화
①	도서관 가기	도서관	도서관 가	도서관 안으로 가요	성인: 책을 읽으려면 어디로 갈까? 아동: 도서관 안으로 가요.
②	책 검색하기	검색	책 검색	검색대에서 책을 검색해요	성인: 도서관 안으로 갔어. 다음에 뭐를 할까? 아동: 검색대에서 책을 검색해요.
③	책번호 인쇄하기	번호	번호 인쇄해	책 번호를 인쇄해요	성인: 책을 검색했어. 뭐를 인쇄해야 할까? 아동: 책 번호를 인쇄해요.
④	책 찾기	찾아	책 찾아	책장에서 책을 찾아요	성인: 책번호를 인쇄했어. 다음에 뭐를 할까? 아동: 책장에서 책을 찾아요.
⑤	책장에서 책 꺼내기	꺼내	책 꺼내	책장에서 책을 꺼내요	성인: 책을 찾았어. 다음에 뭐를 할까? 아동: 책장에서 책을 꺼내요.
⑥	빈자리 찾기	빈자리	빈자리 찾아	도서관 빈자리를 찾아요	성인: 책장에서 책을 꺼냈어. 다음에 뭐를 할까? 아동: 도서관 빈자리를 찾아요.
⑦	빈자리 앉기	앉아	빈자리 앉아	빈자리에 가서 앉아요	성인: 빈자리를 찾았다. 뭐를 할까? 아동: 빈자리에 가서 앉아요.
⑧	책 읽기	읽어	책 읽어	자리에서 책을 읽어요	성인: 자리에 앉았어. 이제 뭐를 할까? 아동: 자리에서 책을 읽어요.
⑨	책 반납하기	반납해	책 반납해	반납대에 책을 반납해요	성인: 책을 다 읽었어. 이제 책을 어떻게 해야 할까? 아동: 반납대에 책을 반납해요.

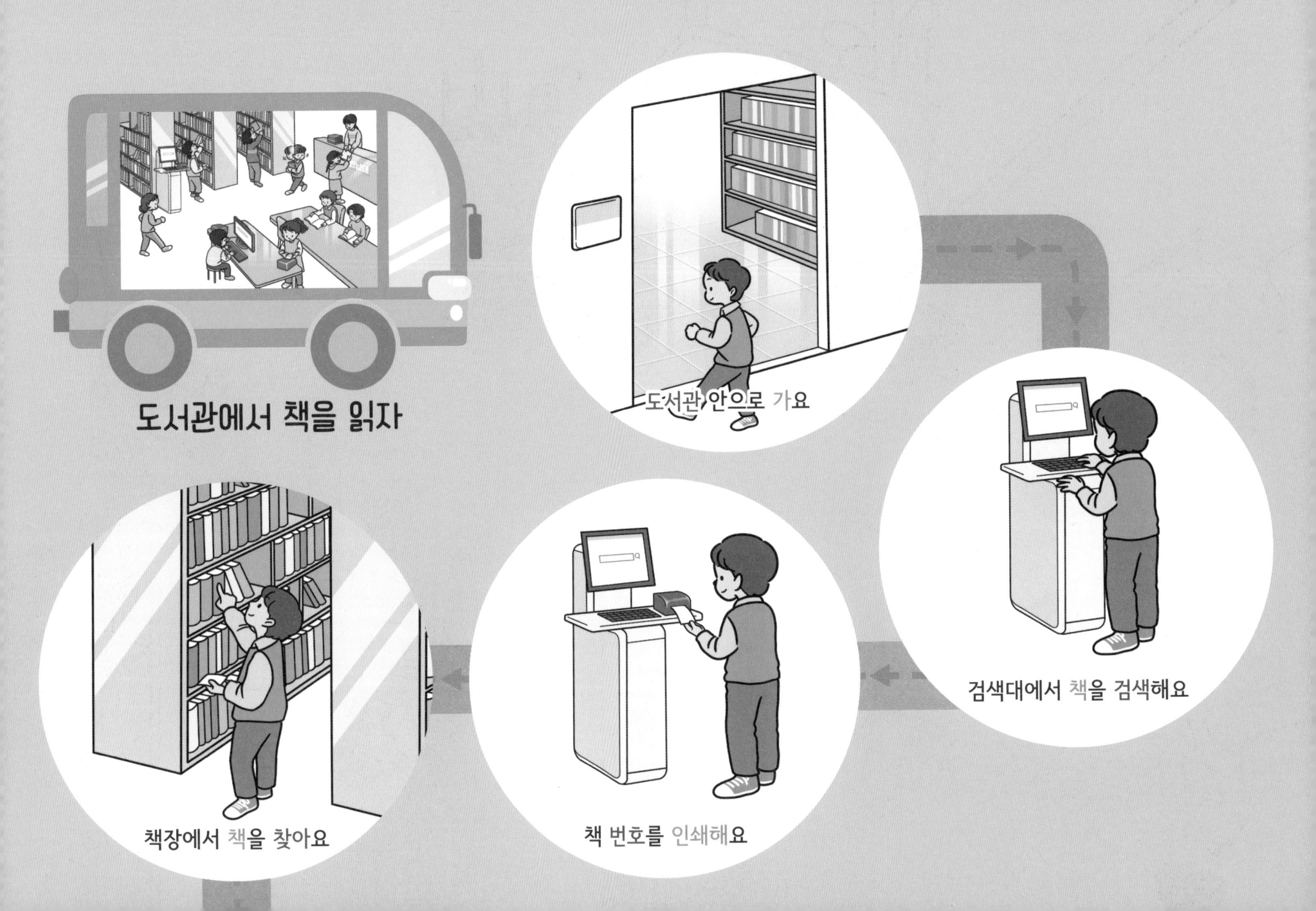

도서관에서 책을 읽자

도서관 안으로 가요

검색대에서 책을 검색해요

책장에서 책을 찾아요

책 번호를 인쇄해요

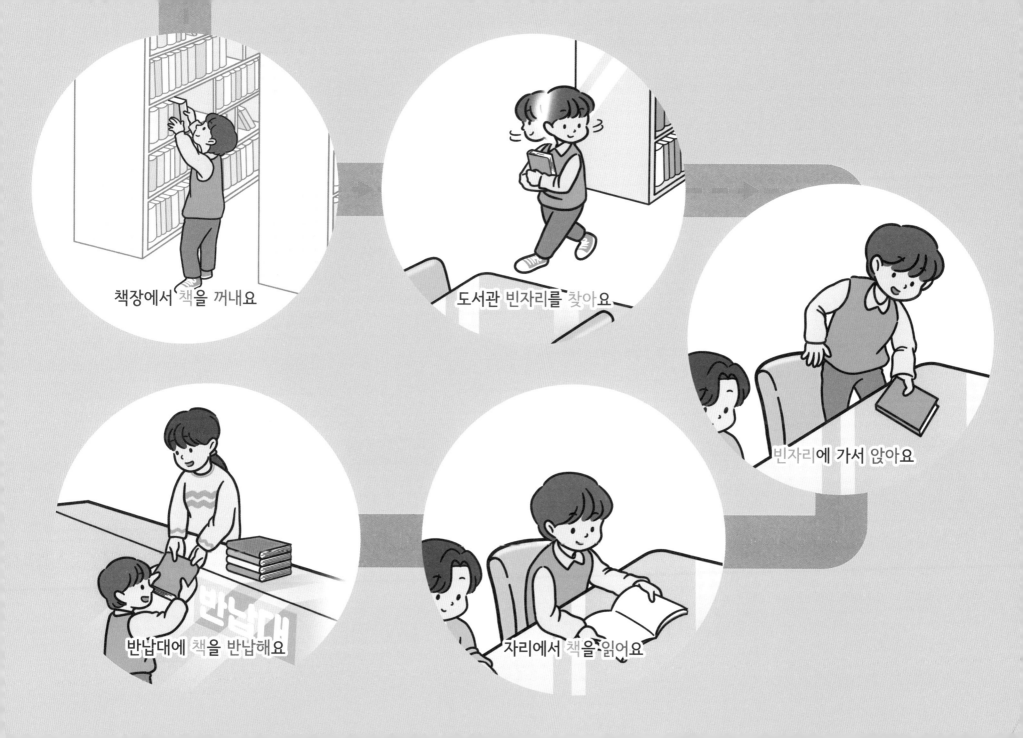

책장에서 책을 꺼내요

도서관 빈자리를 찾아요

빈자리에 가서 앉아요

반납대에 책을 반납해요

자리에서 책을 읽어요

레스토랑 이용하기

핵심 단어 스파게티, 메뉴판, 앞접시, 빈 테이블, 주문(하다), 나누다, 계산대, 결제(하다)

시작 알리기 식당에서 스파게티를 먹자

번호	단계	한단어	두단어	다단어 문장	대화
①	자리에 앉기	앉아	자리 앉아	빈 테이블 자리에 앉아요	성인: 스파게티 식당에 도착했어. 어디에 앉을까? 아동: 빈 테이블 자리에 앉아요.
②	메뉴판 보기 메뉴 고르기	스파게티	스파게티 골라	메뉴판에서 스파게티를 골라요	성인: 빈 테이블 자리에 앉았어. 다음에 뭐를 할까? 아동: 메뉴판에서 스파게티를 골라요.
③	주문하기	주문해	스파게티 주문해	종업원에게 스파게티를 주문해요	성인: 메뉴판에서 스파게티를 골랐어. 다음에 뭐를 할까? 아동: 종업원에게 스파게티를 주문해요.
④	기다리기	기다려	스파게티 기다려	스파게티가 나오기를 기다려요	성인: 종업원에게 스파게티를 주문했어. 다음에 뭐를 할까? 아동: 스파게티가 나오기를 기다려요.
⑤	스파게티 나옴	놓아	스파게티 놓아	테이블에 스파게티를 놓아요	성인: 스파게티가 나왔어. 스파게티를 어떻게 할까? 아동: 테이블에 스파게티를 놓아요.
⑥	접시에 나누기	나눠	스파게티 나눠	앞접시에 스파게티를 나눠요	성인: 스파게티를 테이블에 놓았어. 이제 앞접시에 어떻게 할까? 아동: 앞접시에 스파게티를 나눠요.
⑦	먹기	먹어	스파게티 먹어	포크로 스파게티를 먹어요	성인: 스파게티를 앞접시에 나눴어. 다음에 뭐를 할까? 아동: 포크로 스파게티를 먹어요.
⑧	계산대로 가기	계산대	계산대 가	계산대 앞으로 가요	성인: 스파게티를 다 먹었어. 이제 뭐를 할까? 아동: 계산대 앞으로 가요.
⑨	결제하기	결제	카드 결제해	스파게티 값을 카드로 결제해요	성인: 계산대 앞으로 갔어. 다음에 뭐를 할까? 아동: 스파게티 값을 카드로 결제해요.

식당에서 스파게티를 먹자

빈 테이블 자리에 앉아요

메뉴판에서 스파게티를 골라요

스파게티가 나오기를 기다려요

종업원에게 스파게티를 주문해요

테이블에 스파게티를 놓아요

앞접시에 스파게티를 나눠요

포크로 스파게티를 먹어요

스파게티 값을 카드로 결제해요

계산대 앞으로 가요

수영장 이용하기

	핵심 단어	수영, 수영복, 수영모자, 탈의실, 보관함, 샤워실, 풀, 준비운동, 잠그다, 모자 쓰다
	시작 알리기	수영장에서 수영을 하자

번호	단계	한단어	두단어	다단어 문장	대화
①	탈의실 들어가기	탈의실	탈의실 들어가	탈의실 안으로 들어가요	성인: 수영복을 입자. 어디로 들어갈까? 아동: 탈의실 안으로 들어가요.
②	옷 벗기	벗어	옷 벗어	옷을 전부 벗어요	성인: 탈의실 안으로 들어갔어. 다음에 뭐를 할까? 아동: 옷을 전부 벗어요.
③	옷 넣기	넣어	옷 넣어	보관함에 옷을 넣어요	성인: 옷을 전부 벗었어. 옷을 어떻게 할까? 아동: 보관함에 옷을 넣어요.
④	보관함 잠그기	잠가	보관함 잠가	열쇠로 보관함을 잠가요	성인: 보관함에 옷을 넣었어. 다음에 보관함을 어떻게 할까? 아동: 열쇠로 보관함을 잠가요.
⑤	샤워하기	씻어	몸 씻어	샤워실에서 몸을 씻어요	성인: 열쇠로 보관함을 잠궜어. 다음에 뭐를 할까? 아동: 샤워실에서 몸을 씻어요.
⑥	수영복 입기	수영복	수영복 입어	샤워실에서 수영복을 입어요	성인: 샤워실에서 몸을 씻었어. 다음에 뭐를 할까? 아동: 샤워실에서 수영복을 입어요.
⑦	수영모자 쓰기	수영모자	수영모자 써	머리에 수영모자를 써요	성인: 수영복을 입었어. 다음에 뭐를 쓸까? 아동: 머리에 수영모자를 써요.
⑧	준비운동 해	준비운동	준비운동 해	수영 전에 준비운동을 해요	성인: 머리에 수영모자도 썼어. 이제 수영 전에 뭐를 할까? 아동: 수영 전에 준비운동을 해요.
⑨	수영하기	수영	수영 해	수영장에서 수영을 해요	성인: 수영 전에 준비운동을 했어. 이제 뭐를 할까? 아동: 수영장에서 수영을 해요.

수영장에서 수영을 하자

탈의실 안으로 들어가요

옷을 전부 벗어요

보관함에 옷을 넣어요

열쇠로 보관함을 잠가요

샤워실에서 몸을 씻어요

샤워실에서 수영복을 입어요

머리에 수영모자를 써요

수영장에서 수영을 해요

수영 전에 준비운동을 해요